Medieval Mosaic

A Book of Medieval Latin Readings

Aaron W. Godfrey

Bolchazy-Carducci Publishers, Inc.
Wauconda, Illinois

Editor
Laurie Haight Keenan

Contributing Editor
James G. Keenan

Page Design
Charlene Hernandez

Cover Design
Adam Phillip Velez

Cover Illustration
Murray Lamond

**Medieval Mosaic:
A Book of Medieval Latin Readings
Aaron W. Godfrey**

Printed in the United States of America
2003
by Bang Printing

BOLCHAZY-CARDUCCI PUBLISHERS, INC.
1000 Brown Street, Unit 101
Wauconda, Illinois 60084 U.S.A.
www.bolchazy.com

ISBN: 0-86516-543-2

Library of Congress Cataloging-in-Publication Data

Medieval mosaic : a book of Medieval Latin readings / [edited by] A.W.
Godfrey.
        p. cm.
Includes bibliographical references.
  ISBN 0-86516-543-2
  1. Latin language, Medieval and modern--Readers. 2.
Readers--Civilization, Medieval. 3. Civilization, Medieval--Sources.
I. Godfrey, A. W. (Aaron W.)

  PA2825.M44 2002
  478.6'421--dc21

                                                         2002012847

Contents

Preface

The selections gathered in this text have been collected over thirty-five years of teaching medieval Latin in alternate years. Every two years, I have culled and added to the texts after giving them to my students with my preliminary gloss. Often the students suggest modifications both of the text and the notes. The selections are suitable for intermediate-level students who have completed at least a year of beginning college Latin.

The texts are chronologically arranged and contain some background about the authors and their times. The notes at the end of each selection attempt to clarify grammatical anomalies as well as some of the liturgical and theological concepts that may be unfamiliar to the students and do not appear in the introduction. They are brief in the interest of not interfering with the easy flow of student translation. It is expected that teachers will best judge the emphasis needed in the classroom, whether it be reading, translation, grammar, or cultural background.

The medieval word list at the end of the book should be sufficient for students since they have experience with the language and will own a dictionary. Those who would like more extensive information may consult the following dictionaries:

Latham, R. E. *Revised Medieval Latin Word List from British and Irish Sources.* London 1965.

Niermeyer, J. F., and C. Van der Kieft. *Mediae Latinitatis Lexicon Minus*. Leiden 1984.

Stelten, L. F. *Dictionary of Ecclesiastical Latin*. Peabody, MA 1995.

Souter, A. *A Glossary of Later Latin to 600 A.D.* Oxford 1949.

The *Oxford Latin Dictionary* (1982) and the older Lewis and Short, *A Latin Dictionary,* are still useful.

Perhaps the best and most comprehensive work on medieval Latin is by F. A. C. Mantello and A. G. Rigg, *Medieval Latin: An Introduction and Bibliographical Guide* (Washington, D.C., 1996). This covers nearly every possible aspect of medieval Latin, has a formidable bibliography, and is quite indispensable to teachers of medieval Latin.

Most of the texts come from the following sources and some have been amended to meet the needs of intermediate students:

Migne, J. P. *Patrologia Latina*. Paris 1841–64.

Corpus Christianorum. Turnbolt 1953.

Monumenta Germaniae Historica. Leipzig, Berlin 1826.

Daniel, Hermann Adalbert, ed. *Thesaurus Hymnologicus*. Halle and Leipzig 1841–55.

Biblia Sacra Vulgatae Editionis. London 1970.

Roman Missal. Rome 1921.

A. W. Godfrey
Stony Brook, New York
January 2003

Medieval Latin

edieval Latin has an uneven reputation among classicists. Following Edward Gibbon, they consider it debased and of poor quality and content. Although it is somewhat different from Classical Latin, the net change in grammar and usage over twelve centuries was probably less than the changes in English from Shakespeare's time until the present. The growth and dominance of Christianity together with Jerome's translation of the Bible, the Vulgate, were the most important influences on the development of the Latin language. The Romans, who were an earthy and practical people, were quite lacking in terms for the Jewish and Christian theological concepts. Consequently, new meanings of existing words developed which can cause considerable confusion. Some of them are included in the word list at the end of this text.

Medieval Latin is an arbitrary term whose dates are quite slippery. Essentially, it is Latin of the Christian era and developed with the acceptance of Christianity in the Roman Empire.

What follows proposes to be only a brief outline covering some of the important language changes which made Medieval Latin different from Classical Latin.

Those marked with an asterisk (*) are most frequently found.

A. Spelling

*1. The diphthongs *ae* and *oe* become *e* as *hec, pre, celum, hec, vie.*

2. *E* frequently becomes *i* as *quatinus,* and vice versa as *feretas.*

3. *I* and *y* are interchangeable as *ydoneus, sydera, limpha, mysterium, giro.*

4. *D* and *t* final are interchangeable as *aput, capud, inquid.*

5. *F* and *ph* are sometimes interchangeable as *nephas, fisica.*

6. *Ci* and *ti* are interchangeable as *eciam, fatio.*

*7. *H* is often added or omitted, causing considerable confusion (*arena* for *harena* and vice versa; *onestus* for *honestus*).

8. *P* is often added to nasals as *contempno, hiemps.*

9. *C* is often added to *h* median as *nichil, michi.*

10. Occasionally *o* becomes *u* as *diabulus.*

11. *B* often replaces *p* and itself is replaced by *v: scribus, Favius.*

B. Pronunciation

The pronunciation varied from country to country. In the course of the centuries, "church Latin" developed, which essentially is Italian with a different pronunciation for *l, g, s, t* and the diphthongs *ae* and *oe.*

C. Syntax

Nouns in general:

a. Enlarged vocabulary, including a greater use of Greek and Hebrew words, frequently with creative spellings. There are at least a dozen spellings for Jerusalem.

b. Breakdown in the sharp distinction between cases, especially:

    i. Words used in the singular which were used in the plural in Classical Latin as *angustia.*

    ii. Frequent shifts in gender including instances in which a neuter plural becomes a feminine as *lilia, chronica; caelum* becomes masculine in the plural.

    *iii. Dative is used more frequently: (1) after *misereor* as: *miserere nobis;* (2) after verbs of motion instead of *ad* with the accusative.

    iv. The genitive is used in many ways:

        a. after *misereor, confiteor* (which also can govern the dative)

        b. to intensify a word: *rex, regum; saecula, saeculorum,* etc.

v. Accusative is used in many instances where Classical Latin requires the ablative: (l) with *utor;* (2) to express price; (3) with *coram* as: *coram iudicem.* The accusative is used with preposition after *aio, credo, confido* as: *Aio ad eum...Credo in unum Deum... Confido in eum.*

vi. The following modified uses of the ablative might be noted:

   a. Time is expressed either with or without a preposition.

   b. Duration of time often takes the ablative instead of the accusative.

   c. Means is often expressed by a preposition (*ab, cum, de, ex, in*) as well as by the simple ablative without a preposition.

   d. An ablative phrase frequently replaces a subjective or possessive genitive as: *dona de (ex) meis amicis.*

   e. The ablative with a preposition is sometimes used in a partitive sense as: *ex aqua bibere*

vii. Many Hebrew words are not declined, like Israel, David, Joseph, Abraham.

Pronouns and possessive adjectives:

   a. *Is, ille, iste, ipse* and *hic* are used interchangeably.

   b. The demonstrative pronouns are often replaced by words like: *presens, predictus, prefatus* (the "aforesaid" in legal language).

   c. *Meus, tuus, suus* are replaced by *proprium.*

   d. The reciprocal relationship expressed in Classical Latin by "*inter se,*" becomes "*ad invicem,*" "*sibi vicibus*" etc.

   *e. *Quidam* and *unus* are used for the indefinite article.

   f. *Hic, ille, is* and *iste* are used for the definite article.

   g. The reflexive pronoun is not always used reflexively.

   h. *Unde* is used to mean "with which" — *unde possum tegi: inde* may mean "thereof," "of it." *Inde locutus est.*

Adjectives:

   a. There are no fixed rules for the comparison of adjectives. The positive is frequently used with the comparative force and vice versa. The comparative also may have superlative force.

   b. Words like *totus, cunctus* and *omnis* are used interchangeably.

Adverbs:
These combine fully with prepositions. Expressions like *a modo, ex tunc, a longe* are not unusual. Sometimes these expressions are printed as one word as depost (*depuis*). There are, in addition, some adverbial expressions not found in Classical Latin as *"ut quid"* and *"numquid,"* — meaning "why."

Prepositions:
Prepositions by Medieval times had taken on many new meanings. These should be looked up; *ad* plus the accusative is sometimes used instead of the dative. *Secundum*, "according to" with the accusative case, is used far more frequently than in Classical Latin, and can mean "as," "for."

Conjunctions:
    a. *Nam* and *autem* are interchangeable.
    b. *Nec* and *non* are interchangeable.
    c. *Nec non* becomes equivalent to *et; nec dum* to *nondum*.

Verbs:
    a. Forms like *ligui* for *ligavi* are common.
* b. Verbs which are deponent in Classical Latin have active forms and vice versa...*exhorto, medito, lacrimor*.
    c. Uses of tenses are less exact. The present is sometimes used for the future; imperfect, perfect and pluperfect are used indistinctly for past tenses.
    d. The indicative is used in many instances where Classical Latin requires the subjunctive:
        i. Indirect questions may be introduced by *si*.
        ii. Result clauses and substantive clauses of fact.
        iii. *Cum* with causal clauses
        iv. Conditional clauses
        v. Many clauses introduced by *quod, quia, quoniam, quatenus* (see below)
    e. There is an increased use of clauses introduced by *quoniam, quia, quod,* etc...especially:
        i. Indirect discourse is often introduced by *quod* or *ut* plus the subjunctive.

    ii. The volitive (wishing) is frequently introduced by *quod* plus the subjunctive. (The volitive may also be expressed by the indicative.)

   iii. Clauses of purpose, fear, result and obligation are introduced by *quod* plus the subjunctive.

   iv. Result clauses can be introduced by *quod* plus the indicative or subjunctive, although *ut* plus the indicative is found.

The imperatives *praesta* and *fac* are frequently used in prayers or hymns to introduce petitions and are translated "Grant that"...

There is a broadened usage of the infinitive including:

    i. Frequent use with *facio* and *habeo*.

   ii. It is used with many verbs which regularly take subjunctive in Classical Latin (*metuo, rogo, peto*).

  iii. It is commonly used to express purpose.

Participles also are used more creatively.

    i. The present participle is used with *esse*; *Erat cantans,* "She was singing."

   ii. The future participle is often used to express purpose.

Miscellaneous:

   a. *Debeo, volo, possum* are frequently weakened to mere tense signs and have become modal auxiliary verbs: *ut debet baptizare* for *ut baptizaret.*

   b. *Habeo* is used to express obligation in the sense of "have to" as *habeo ire.*

   c. Compound tenses are often formed with *fui, fueram,* instead of *sum, eram,* etc.

A Note
on the Structure
of Worship
in the Roman Church

The official Latin used by the Roman Church for liturgy and worship until the mid-twentieth century was based on the Jerome translation of the Bible known as the Vulgate, and much of the writing of the period used the Vulgate as a stylistic model. The Divine Office[1] found in the breviary[2] and the Mass found in the Missal were the central foci of worship in monasteries and Cathedral Chapters[3].

The Divine Office, sung or recited, was divided into eight services or "hours" as follows:
1. Matins (Matutinum) — before dawn; sometimes called Vigils.
2. Lauds (Laudes) — sunrise.

---

[1]Office — comes from Officium meaning an obligatory service or obligation.
[2]Breviary — the book in which the office is contained.
[3]Cathedral Chapters — the general meeting of senior (in rank) priests in a diocese.

3. Prime (ad primam horam) — the first hour of the day, or 6 a.m.
4. Terce (Tierce) — the third hour, or 9 a.m.
5. Sext — the sixth hour, or noon.
6. None — the ninth hour, or 3 p.m.
7. Vespers — at sunset.
8. Compline — before retiring, at the completion of the day (completorium).

These "hours" probably are closely related to the prayer hours of the Orthodox Jews and consist of Psalms, other scriptural readings, hymns and lessons.

The Mass, on the other hand, was the central point of worship of the liturgical day, and was divided into the Ordinary of the Mass and the Proper of the season. Part of each was sung and part recited. The Ordinary generally did not change, but the proper included the instructional "Mass of the Catechumens." The "Mass of the Faithful" originally was reserved for those who were baptized.

Mass of the Catechumens

1. Introit (entrance hymn) — proper and sung. The prayers at the foot of the altar, including the confiteor were included in the entrance rite.
2. Kyrie — ordinary and sung (*Kyrie eleison* is Greek for "Lord have mercy").
3. Gloria — ordinary and sung.
4. Collect — proper and recited.
5. Epistle — proper and recited.
6. Gradual and Alleluia (or Tract) — proper and sung. At certain times of the year a sequence, or hymn was added. These sequences are the origin of Medieval religious drama.
7. Gospel — proper and recited.

Mass of the Faithful

8. Creed — ordinary and sung.
9. Offertory Hymn — proper and sung.
10. Offertory Prayer — ordinary and recited.

11. Secret Prayer — proper and recited silently.
12. Preface — semi-proper and sung.
13. Sanctus — ordinary and sung.
14. Canon — ordinary and recited.
15. Pater Noster — ordinary and sung.
16. Agnus Dei — ordinary and sung.
17. Communion — proper and sung.
18. Communion Prayers — ordinary and recited.
19. Postcommunion — proper and recited.
20. Ite Missa Est or Benedicamus Domino.

Both the Divine Office and the Mass very much depend on the liturgical seasons of the year which also are divided between the temporal cycle (Feasts of Our Lord, including Sunday) and the sanctoral cycle (Feasts of the Saints).

The temporal cycle is as follows:

Advent — Nearest Sunday to November 30 (Feast of Saint Andrew) until December 24th.

Christmas — December 25th to January 6th.

Epiphany — January 6 to Ash Wednesday or Septuagesima Sunday, (three Sundays before Ash Wednesday).

Lent — Ash Wednesday to Easter (forty days plus six Sundays).

Easter — Easter to Pentecost Sunday (Whitsunday) (fifty days).

Time after Pentecost — Whitmonday to Advent.

The Church of the Persecutions

The early Christians were simple folk, but St. Paul and the early apologists helped to develop a rational and intellectual base that began to appeal to educated Romans. Christianity, however, was considered subversive and unpatriotic. Consequently, the Christians were persecuted vigorously. The works of Minucius Felix and Lactantius are representative of this early period.

Minucius Felix
(ca. 160–220)

Very little is known about Minucius Felix except that he was probably from northern Africa and lived much of his life in Rome. The *Octavius* from which this selection is taken is a dialogue between the Christian Octavius and the pagan Caecilius as they are walking on the beach near Ostia. At the end of the dialogue, Caecilius admits he has been convinced by the logic of Octavius.

from Octavius

Quid potest esse tam apertum, tam confessum tamque perspicuum, cum oculos in caelum sustuleris et quae sunt infra circaque lustraveris, quam esse aliquod numen praestantissimae mentis, quo omnis natura inspiretur, moveatur, alatur, gubernetur?
5   Caelum ipsum vide: quam late tenditur, quam rapide volvitur, vel quod in noctem astris distinguitur, vel quod in diem sole lustratur! Iam scies quam sit in eo Summi Moderatoris mira et divina libratio. vide et annum, ut solis ambitus faciat et mensem vide, ut luna auctu, senio, labore circumagat. Quid tenebrarum et luminis
10   dicam recursantes vices, ut sit nobis operis et quietis alterna reparatio? Relinquenda vero astrologis prolixior de sideribus oratio, vel quod regant cursum navigandi, vel quod arandi metendique

---

1. **confessum** — "certain," "acknowledged"
3. **lustraveris** — "survey"; **examine quam esse aliquod numen** — indirect discourse after *apertum* etc.
5. **vel quod...vel quod** — "either...or." The *quod* is almost superfluous.
7. **Summi Moderatoris** — "of the Highest Controller"
8. **ut** — "how"
9. **auctu senio labore** — "by its waxing and waning" (by its increasing and decreasing labor)
10. **reparatio** — "provision," "restoration"
11. **prolixior...oratio** — "a more detailed description"

tempus inducant. Quae singula non modo ut crearentur, fierent, disponerentur, summi opificis et perfectae rationis eguerunt, verum etiam sentiri, perspici, intellegi sine summa sollertia et
15 ratione non possunt.

Quid! Cum ordo temporum ac frugum stabili varietate distinguitur, nonne auctorem suum parentemque testatur, ver aeque cum suis floribus et aestas cum suis messibus et autumni maturitas grata et hiberna olivitas necessaria? Qui ordo facile turbaretur nisi
20 maxima ratione consisteret.

---

12. **inducant** — "determine"; **Quae singula** — "each of which." The verb is *eguerunt*, which governs the genitive.
19. **olivitas, -atis** — "olive harvest"
19–20. **nisi...consisteret** — "unless it were held together"

Tertullian
(160–240)

Tertullian (Quintus Septimius Florens Tertullianus) was an early North African convert to Christianity and apologist of the Church against charges of magic and atheism. His interpretation of doctrine was rigid as the following passage will show. He joined the Montanists, a sect characterized by intolerance. Dissatisfied, even with them, he founded his own sect that was even more rigorous. His Latin is quite correct and he is said to have established the rules for Christian Latin. Despite the brilliance of his writing, he does not seem to have been a pleasant person. Arnold refers to him as "The Fierce Tertullian." The passage talks about the dangers of the public shows or games held at the various amphitheaters.

Odisse debemus istos conventus et coetus ethnicorum, vel quod illic nomen Dei blasphematur, illic in nos quotidiani leones expostulantur, inde persecutiones decernuntur, inde temptationes emittuntur. Quid facies in illo suffragiorum impiorum aesturio
5   deprehensus? Non quasi aliquid illic pati possis ab hominibus (nemo te cognoscit Christianum) sed recogita quid de te fiat in caelo. Dubitas enim illo momento quo diabolus in Ecclesiam furit, omnes angelos prospicere de caelo et singulos denotare,

---

1. **ethnicorum** — "heathens"
   vel quod — "even for the fact that"
3. **expostulantur** — "are set upon us"
4. **facies** — a verb rather than a noun
   aestuario — "swell," "tide"
6. after **cognoscit** supply *esse*
   Christianum in apposition with *te*: "as a Christian"
7. **quo** — "when"
8. **denotare** — "mark down" (followed by an indirect question). The angels here are counting up sins and failings.

quis diabolo adversus Deum ministraverit? Non ergo fugies sedil-
10   ia hostium Christi, illam cathedram pestilentiarum ipsumque
aerem qui desuper incubat scelestis vocibus conspurcatum?

Sint dulcia licet et grata et simplicia, etiam honesta quaedam.
Nemo venenum temperat felle et elleboro, sed conditis pulmentis
et bene saporatis, et plurimum delicibus id mali inicit. Ita et dia-
15   bolus letale quod conficit rebus Dei gratissimis et acceptissimis
imbuit. Omnia illic sec fortia seu honesta seu sonora seu canora seu
subtilia perinde habe ac stillicidia mellis de lucunculo venenato,
nec tanti gulam facias voluptatis quanti periculum per suavitatem.

---

9. **ministraverit** — "has provided"
10. **illam cathedram pestilentiarum** — "the seat of the pestilences" from Psalm I.
11. **conspurcatum** — "defiled"
12. **licet** — "although"
13. **temperat** — "mixes"
    elleborus — "hellbore," a purgative that tastes awful; *conditis pulmentis et* 15.
14. **bene saporatis** — "into savory and well flavored, relishes"
    id mali inicit — "He drops something evil" (poison). The use of a neuter prono-
mial with a dependent genitive had become usual by the second century.
15. **letale** — "the deadly thing"
17. **perinde habe ac** — "consider them as"
    lucunculo — a pastry with holes that would be served with honey
18. **tanti...quanti** — genitives of value

Lactantius
(250–325)

Not much is known about Lactantius. He was probably born in Africa where he was said to have been a pupil of Arnobius. He is thought to have become a Christian in 303. He became a apologist for Christianity and brilliance of his style earned for him the title of the "Christian Cicero." His most influential work was *The Divine Institutes,* a literary defense of Christianity and a refutation of polytheism. *De Mortibus* is a more accessible work.

from De Mortibus Persecutorum

    Post hunc interiectis aliquot annis alter non minor tyrannus Domitianus ortus est. Qui cum exerceret invisam dominationem, subiectorum tamen cervicibus incubavit quam diutissime tutusque regnavit, donec impias manus adversus dominum ten-
5 deret. Postquam vero ad persequendum iustum populum instinctu daemonum incitatus est, tunc traditus in manus inimicorum luit poenas. Nec satis ad ultionem fuit quod est interfectus domi; etiam memoria nominis eius erasa est. Nam cum multa mirabilia opera fabricasset, cum Capitolium aliaque nobilia monimenta
10 fecisset, senatus ita nomen eius persecutus est, ut neque imaginum neque titulorum eius relinquerentur ulla vestigia, gravissime decretis etiam mortuo notam inureret ad ignominiam sempiternam. Rescisis igitur actis tyranni non modo in statum pristinum ecclesia restituta est, sed etiam multo clarius ac floridius enituit,

---

1. **hunc** refers to Nero
    interiectis aliquot annis — "after some years," "some years later"
5–6. **instinctu daemonum** — "by inspiration of the demons"
11–12. **gravissime…inureret** — "it branded him, even dead, with severe decrees"
 12. **notam** — "name," "bad reputation"
 13. **rescisis… actis** — "when the legislation has been repealed"

15   secutisque temporibus, quibus multi ac boni principes Romani
imperii clavum regimenque tenuerunt, nullos inimicorum impetus passa manus suas in orientem occidentemque porrexit, ut iam
nullus esset terrarum angulus tam remotus quo non religio Dei
penetrasset, nulla denique natio tam feris moribus vivens, ut non
20   suscepto Dei cultu ad iustitiae opera mitesceret. Sed enim postea
longa pax rupta est.

Extitit enim post annos plurimos execrabile animal Decius, qui
vexaret ecclesiam; quis enim iustitiam nisi malus persequatur? Et
quasi huius rei gratia provectus esset ad illud principale
25   fastigium, furere protinus contra Deum coepit, ut protinus
caderet. Nam profectus adversum Carpos, qui tum Daciam
Moesiamque occupaverant statimque circumventus a barbaris et
cum magna exercitus parte deletus ne sepultura quidem potuit
honorari, sed exutus ac nudus, ut hostem dei oportebat, pabulum
30   feris ac volucribus iacuit.

---

17. **passa…porrexit** — the subject of both is *ecclesia*
24–25. **provectus esset…fastigium** — "he had been raised to the imperial height"
26. **Carpos** — a Germanic tribe
29. **ut…oportebat** — "as was fitting for an enemy of God"

The Fourth Century

The fourth century, or from 313–410, was a critical period of history. It began with Constantine's Edict of Milan (313) which legalized Christianity and ended when the Visigoths under Alaric captured and sacked Rome in 410.

During this time Christianity became the dominant religion in the Empire despite many protests of the old aristocracy. Orthodoxy, within Christianity too, became an issue, as theologians grappled with the problem of who Jesus was — God, man, both or neither. The nature of the Trinity was also an issue that caused division in the church. The Arian heresy perhaps was the most troublesome for a number of reasons. Essentially Arius, a priest from Alexandria, taught that Jesus, the Word (*Logos,* in Greek), was neither co-eternal nor of the same substance of the Father. This teaching, in short, denied the divinity of Jesus the Christ (the anointed one).

The issue became so divisive that in 325 the Emperor Constantine called together the first ecumenical council at Nicea in western Turkey. What emerged was the condemnation of Arius' doctrine and the promulgation of the Nicene Creed (from *credo*) which states what orthodox Christians are to believe.

The fourth century also produced major intellectual developments that sought to make Christian philosophy and theology compatible with Greek and Roman thought. Ambrose and Augustine established the intellectual foundation, while Jerome provided the words with his translation of the Bible, the Vulgate. In Spain, Prudentius, a bureaucrat, wrote religious poetry of a very high order that applied classical models to Christian worship. Sulpicius Severus who wrote a biography of Martin of Tours, also established the tone for hagiography. This century also saw the beginning of monasticism in the Greek East with Antony and Pachomius, which would develop a century later in the West with the Rule of Benedict the most influential of the monastic rules.

The Latin of the fourth century, though somewhat different from the classical period, preserved the rhetorical usage in prose and quantitative prosody in poetry.

The Roman Mass

The Roman Mass, which was celebrated in Latin until the time of the Second Vatican Council, is from the Missal "restored by decree of the holy Council of Trent."

The Mass from earliest times consisted of five elements: (1) preparation, (2) thanksgiving, (3) breaking bread, (4) consumption, (5) dismissal (*missio*) or taking leave, from which the word Mass derives.

What follows is the preparation or Mass of the Catechumens which includes the prayers at the foot of the altar and Confiteor, a penance rite, in which the priest (*sacerdos*) and server (*minister*) alternate responses. The "Gloria," a hymn of praise, used at Rome before the sixth century, was sung at high Masses.

The text in brackets are instructions given to the priest or servers.

>   **S.**   In nomine Patris, et Filii, et Spiritus Sancti. Amen.
>   Introibo ad altare Dei.

> [Ministri respondent:]

>   **M.**   Ad Deum, qui laetificat juventutem meam.
>   [Postea alternatim cum Ministris dicit sequentem.]

> Psalm 42, 1–5

>   **S.**   Judica me, Deus, et discerne causam meam de gente non sancta: ab homine iniquo et doloso erue me.

5

---

1. This is the sign of the cross.
7. **Deus** is the vocative.
8. **erue** — "rescue"

M. Quia tu es, Deus, fortitudo mea: quare me repulisti et quare
10   tristis incedo, dum affligit me inimicus?

S. Emitte lucem tuam et veritatem tuam: ipsa me deduxerunt, et adduxerunt in montem sanctum tuum et in tabernacula tua.

M. Et introibo ad altare Dei: ad Deum, qui laetificat juventutem
15   meam.

S. Confitebor tibi in cithara, Deus, Deus meus: quare tristis es, anima mea, et quare conturbas me?

M. Spera in Deo, quoniam adhuc confitebor illi: salutare vultus mei, et Deus meus.

20 **S.** Gloria Patri, et Filio, et Spiritui Sancto.

M. Sicut erat in principio, et nunc, et semper: et in saecula saeculorum. Amen.

S. [Repetit Antiphonam:]
Introibo ad altare Dei.

25 **M.** Ad Deum qui laetificat juventutem meam.
[Signat se, dicens:]

S. Adjutorium nostrum in nomine Domini.

M. Qui fecit caelum et terram.
[Deinde junctis manibus profunde inclinatus facit
30   Confessionem.]

---

11. **ipsa** — nominative neuter plural referring to *lux et veritas*
27. **adjutorium** — "help"

Confiteor Deo omnipotenti, beatae Mariae semper Virgini, beato Michaeli Archangelo, beato Joanni Baptistae, sanctis Apostolis Petro et Paulo, omnibus Sanctis, et vobis, fratres: quia peccavi nimis cogitatione, verbo et opere: [Percutit sibi pectus ter,
35 dicens:] mea culpa, mea culpa, mea maxima culpa. Ideo precor beatam Mariam semper Virginem, beatum Michaelem Archangelum, beatum Joannem Baptistam, sanctos Apostolos Petrum et Paulum, omnes Sanctos, et vos, fratres, orare pro me ad Dominum Deum nostrum.

40 [Ministri respondent:]

Misereatur tui omnipotens Deus, et, dimissis peccatis vestris, perducat vos ad vitam aeternam.

S. Amen.

[Signat se signo crucis, dicens:]

45 S. Indulgentiam, absolutionem, et remissionem peccatorum nostrorum tribuat nobis omnipotens et misericors Dominus.

M. Amen.

S. Deus, tu conversus vivificabis nos.

M. Et plebs tua laetabitur in te.

50 S. Ostende nobis, Domine, misericordiam tuam.

M. Et salutare tuum da nobis.

S. Domine, exaudi orationem meam.

---

32. **Joanni Baptistae** — "to John the Baptist"
45. **indulgentiam** — "forgiveness"

M.   Et clamor meus ad te veniat.

S. Dominus vobiscum.

55   **M.**   Et cum spiritu tuo.

Gloria in Excelsis Deo

Et in terra pax hominibus bonae voluntatis. Laudamus te.
Benedicimus te. Adoramus te. Glorificamus te. Gratias agimus
tibi propter magnam gloriam tuam. Domine Deus, Rex caelestis,
60   Deus Pater omnipotens. Domine Fili unigenite, Jesu Christe.
Domine Deus, Agnus Dei, Filius Patris. Qui tollis peccata
mundi, miserere nobis. Qui tollis peccata mundi, suscipe dep-
recationem nostram. Qui sedes ad dexteram Patris, miserere
nobis. Quoniam tu solus Sanctus. Tu solus Dominus. Tu solus
65   Altissimus, Jesu Christe, cum Sancto Spiritu, in gloria Dei
Patris. Amen.

---

59. **Domine...Patris** — all vocatives, exclamations
61. supply *esse*

The Nicene Creed

he Nicene Creed came out of the Council of Nicea A.D. (C.E.) 325. The Council was summoned by Constantine to resolve divisions in the Church caused by the Arian heresy. This creed summarized the fundamental doctrinal position of the Catholic church and is still recited during Mass. Compare the concepts in this creed with those articulated in John I in the next section.

Credo in unum Deum Patrem omnipotentem, factorem caeli et terrae, visibilium omnium, et invisibilium, et in unum Dominum Jesum Christum, Filium Dei unigenitum; et ex Patre natum ante omnia saecula. Deum de Deo, lumen de lumine, Deum verum de
5   Deo vero. Genitum non factum, consubstantialem Patri per quem omnia facta sunt. Qui propter nos homines, et propter nostram salutem descendit de caelis. Et incarnatus est de Spiritu Sancto ex Maria Virgine, et homo factus est. Crucifixus etiam pro nobis, sub Pontio Pilato passus, et sepultus est. Et resurrexit tertia die,
10   secundum Scripturas. Et ascendit in caelum; sedet ad dexteram Patris. Et iterum venturus est cum gloria iudicare vivos, et mortuos:

---

1. **credo** here is followed by *in* with the accusative instead of the dative or *in* with the ablative.

1–2. Note the five genitives that depend on *factorem*. Note also how *credo in* governs many subsequent phrases of the Creed up to the end.

3. **unigenitum** — "only begotten"

5. **genitum** — "begotten"
   consubstantialis — in Greek, *homoousios,* "of one substance" (consubstantial), takes the dative. This was one of the key philosophical concepts articulated by the Creed of Nicea.

7. **incarnatus est** — "he became flesh"; **de** — "from," "through"

8. **homo** — nominative after the copulative verb *factus est (fio)*

9. **Pontio Pilato** — Pontius Pilate, the Roman governor of Judea when Jesus was crucified

10. **ad dexteram** — "at the right hand"

11. **iudicare** — the infinitive used to express purpose. See "Medieval Latin," pp. ix–xiii.

cujus regni non erit finis. Et in Spiritum Sanctum, Dominum, et
vivificantem, qui ex Patre, Filioque procedit. Qui cum Patre, et
Filio simul adoratur, et conglorificatur: qui locutus est per
15 Prophetas. Et unam, sanctam, Catholicam et apostolicam
Ecclesiam. Confiteor unum baptisma in remissionem peccatorum. Et exspecto resurrectionem mortuorum, et vitam venturi
saeculi.

---

12. **cuius regni** — "of his kingdom," *i.e.* of the risen Jesus
    et in Spiritum Sanctum — this depends on *Credo* in line 1
13. **vivificantem** — "reviver," "giver of life"
    Filioque procedit — the "*filioque* clause" became the central point of contro-
    versy between the Roman and Eastern churches that ultimately separated in
    1054. This phrase concerns how the Holy Spirit proceeds. The *qui* in this and
    succeeding lines are connective and translated as He (She).
14. **conglorificatur** — "He (she) (The Holy Spirit) is glorified with them" (the
    Father and the Son).
15. **Catholicam** — The original Greek meaning of this word was "universal."
16–17. **in remissionem peccatorum** — "for the remission of sins"
17. **venturi** — "which is to come"

Selections from the Vulgate

The Old and New Testaments were originally written in Hebrew, Aramaic and Greek. In the West, there were several Latin versions of the Bible which varied greatly. Aware of the confusion, Pope Damasus commissioned Jerome (340–420) to provide the church with an accurate text that would be commonly used. The Vulgate (from *vulgare*) became the standard text used until recent times.

A. Genesis 1

1. In principio creavit Deus coelum et terram.
2. Terra autem erat inanis et vacua, et tenebrae erant super faciem abyssi: et spiritus Dei ferebatur super aquas.
3. Dixitque Deus: Fiat lux. Et facta est lux.
4. Et vidit Deus lucem quod esset bona: et divisit lucem a tenebris.
5. Appellavitque lucem Diem, et tenebras Noctem: factumque est vespere et mane, dies unus.
6. Dixit quoque Deus: Fiat firmamentum in medio aquarum: et divist aquas ab aquis.
7. Et fecit Deus firmamentum, divisitque aquas, quae erant sub firmamento, ab his quae erant super firmamentum. Et factum est ita.
8. Vocavitque Deus firmamentum, Coelum: et factum est vespere et mane, dies secundus.
9. Dixit vero Deus: Congregentur aquae, quae sub coelo sunt, in locum unum: et appareat arida. Et factum est ita.
10. Et vocavit Deus aridam, Terram, congregationesque aquarum appellavit Maria. Et vidit Deus quod esset bonum.

---

2. **abyssi** — "of the abyss:" a bottomless gulf, a deep mass of waters
4 ff. **quod esset** — See "Medieval Latin," pp. ix–xiii.
5 ff. **vespere et mane** — adverbs: "evening and morning"
6. **firmamentum** — "the firmament," the region above the sky, considered a solid arch or vault
9. **arida** — "dry land"

11. Et ait: Germinet terra herbam virentem et facientem semen, et lignum pomiferum faciens fructum juxta genus suum, cujus semen in semetipso sit super terram. Et factum est ita.

12. Et protulit terra herbam virentem, et facientem semen juxta genus suum, lignumque faciens fructum, et habens unumquodque sementem secundum speciem suam. Et vidit Deus quod esset bonum.

13. Et factum est vespere et mane, dies tertius.

14. Dixit autem Deus: Fiant luminaria in firmamento coeli, et dividant diem ac noctem, et sint in signa et tempora, et dies et annos:

15. Ut luceant in firmamento coeli, et illuminent terram. Et factum est ita.

16. Fecitque Deus duo luminaria magna: luminare majus, ut praeesset diei: et luminare minus, ut praeesset nocti: et stellas.

17. Et posuit eas in firmamento coeli, ut lucerent super terram.

18. Et praeessent diei ac nocti, et dividerent lucem ac tenebras. Et vidit Deus quod esset bonum.

19. Et factum est vespere et mane, dies quartus.

20. Dixit etiam Deus: Producant aquae reptile animae viventis, et volatile super terram sub firmamento coeli.

21. Creavitque Deus cete grandia, et omnem animam viventem atque motabilem, quam produxerant aquae in species suas, et omne volatile secundum genus suum. Et vidit Deus quod esset bonum.

22. Benedixitque eis, dicens: Crescite, et multiplicamini, et replete aquas maris: avesque multiplicentur super terram.

23. Et factum est vespere et mane, dies quintus.

24. Dixit quoque Deus: Producat terra animam viventem in genere suo, jumenta, et reptilia, et bestias terrae secundum species suas. Factumque est ita.

25. Et fecit Deus bestias terrae juxta species suas, et jumenta, et omne reptile terrae in genere suo. Et vidit Deus quod esset bonum.

---

11. **semetipso** — another form of the intensive pronoun
    juxta — "according to"
14. **luminaria** — neuter noun from *luminare*: "light"
20. **reptile** — "a crawling thing"
21. **cete** — accusative plural of *cetos*: "sea monsters, whales"
24. **jumenta** are "domestic animals"; **bestia** are "wild animals"

26. Et ait: Faciamus Hominem ad imaginem et similitudinem nostram: et praesit piscibus maris, et volatilibus coeli, et bestiis, universaeque terrae, omnique reptili, quod movetur in terra.

27. Et creavit Deus hominem ad imaginem suam: ad imaginem Dei creavit illum: masculum et feminam creavit eos.

28. Benedixitque illis Deus, et ait: Crescite, et multiplicamini, et replete terram, et subjicite eam, et dominamini piscibus maris, et volatilibus coeli, et universis animantibus, quae moventur super terram.

29. Dixitque Deus: Ecce dedi vobis omnem herbam afferentem semen super terram, et universa ligna quae habent in semetipsis sementem generis sui, ut sint vobis in escam:

30. Et cunctis animantibus terrae, omnique volucri coeli, et universis quae moventur in terra, et in quibus est anima vivens, ut habeant ad vescendum. Et factum est ita.

31. Viditque Deus cuncta quae fecerat: et erant valde bona. Et factum est vespere et mane, dies sextus.

CAP II

1. Igitur perfecti sunt coeli et terra, et omnis ornatus eorum.

2. Complevitque Deus die septimo opus suum quod fecerat: et requievit die septimo ab universo opere quod patrarat.

---

29. **in escam** — "as food"

Cap II
  2. **patrarat** — a syncopated form

B. Psalm 60

his is the most famous of the penitential psalms written by David after the prophet Nathan accused him of wrong when he caused the death of Uriah in order to marry his wife Bathsheba.

1.   Miserere mei, Deus, secundum magnam misericordiam tuam. Et secundum multitudinem miserationum tuarum, dele iniquitatem meam.
2.   Amplius lava me ab iniquitate mea; et a peccato meo munda me.
3.   Quoniam iniquitatem meam ego cognosco: et peccatum meum contra me est semper.
4.   Tibi soli peccavi, et malum coram te feci: ut justificeris in sermonibus tuis, et vincas cum judicaris.
5.   Ecce enim in iniquitatibus conceptus sum: et in peccatis concepit me mater mea.
6.   Ecce enim veritatem dilexisti: incerta et occulta sapientiae tuae manifestasti mihi.
7.   Asperges me hyssopo, et mundabor, lavabis me, et super nivem dealbabor.
8.   Auditui meo dabis gaudium et laetitiam, et exultabunt ossa humiliata.
9.   Averte faciem tuam a peccatis meis; et omnes iniquitates meas dele.

---

1. **Deus** — here the vocative, as in 10, 14, and 17
2. **Munda** — imperative of *mundare,* "to cleanse"
4. **tibi soli** — here the sense is "against you alone"
   peccare plus the dative is quite rare.
   sermonibus tuis — "in your words"
   cum judicaris — "when you are judged"
6. **incerta et occulta** — "the uncertain and hidden things": direct object of the verb
   Manifestasti — syncopated form
7. **hyssopo** — "with hyssop": a medicinal plant
   super nivem dealbabor — This is best translated as "I shall be made whiter than snow."
8. **gaudium et laetitiam** — These mean almost the same thing; the usual translation is "joy and gladness."

10. Cor mundum crea in me, Deus, et spiritum rectum innova in visceribus meis.
11. Ne projicias me a facie tua, et spiritum sanctum tuum ne auferas a me.
12. Redde mihi laetitiam salutaris tui, et spiritu principali confirma me.
13. Docebo iniquos vias tuas, et impii ad te convertentur.
14. Libera me de sanguinibus, Deus, Deus salutis meae, et exultabit lingua mea justitiam tuam.
15. Domine, labia mea aperies: et os meum annuntiabit laudem tuam.
16. Quoniam si voluisses sacrificium, dedissem utique: holocaustis non delectaberis.
17. Sacrificium Deo spiritus contribulatus: cor contritum et humiliatum, Deus, non despicies.
18. Benigne fac, Domine, in bona voluntate tua, Sion: ut aedificentur muri Jerusalem.
19. Tunc acceptabis sacrificium justitiae, oblationes, et holocausta: tunc imponent super altare tuum vitulos.

---

10. **innova** — "restore": imperative
11. **ne projicias...ne auferas** — jussives, negative commands
12. **principali** — "original," "right"
14. **de sanguinibus** — "from men of blood"
    exultabit — "will proclaim," "boast"
16. The first part of this verse is a contrary to fact condition.
    holocaustis — "in burnt offerings"
17. Supply **est** to the first part of this verse. **contribulatus** — "troubled," "afflicted";
    cor contritum — "a contrite heart." The word *contritus* in classical Latin means "worn out," "trite."
18. **Sion** — ablative; **Jerusalem** — genitive
19. The idea of this verse is that God wants a sacrifice of the clean heart. There is also the sense that sacrifices were not offered except in Jerusalem.

C. Psalm 91

his psalm is used at Compline, monastic night prayer.

1. Qui habitat in adjutorio Altissimi, in protectione Dei coeli commorabitur.
2. Dicet Domino: Susceptor meus es tu, et refugium meum: Deus meus, sperabo in eum.
3. Quoniam ipse liberavit me de laqueo venantium, et a verbo aspero.
4. Scapulis suis obumbrabit tibi: et sub pennis ejus sperabis.
5. Scuto circumdabit te veritas ejus: non timebis a timore nocturno,
6. A sagitta volante in die, a negotio perambulante in tenebris: ab incursu, et daemonio meridiano.
7. Cadent a latere tuo mille, et decem millia a dextris tuis: ad te autem non appropinquabit.
8. Verumtamen oculis tuis considerabis: et retributionem peccatorum videbis.
9. Quoniam tu es, Domine, spes mea: Altissimum posuisti refugium tuum.
10. Non accedet ad te malum: et flagellum non appropinquabit tabernaculo tuo.
11. Quoniam angelis suis mandavit de te: ut custodiant te in omnibus viis tuis.
12. In manibus portabunt te: ne forte offendas ad lapidem pedem tuum.
13. Super aspidem, et basiliscum ambulabis: et conculcabis leonem et draconem.
14. Quoniam in me speravit, liberabo eum: protegam eum quoniam cognovit nomen meum.

1–2. **Altissimi, Dei coeli, Domino** and **Deus** are Jerome's Latin adaptations of four Hebrew divine names — Elyon, Shaddai, Yaweh and Elohim. In other places Jerome uses *Dominus* as a translation of Adonai.

2. **susceptor** — "guardian"

3. **verbo aspero** — "slander" or "detraction"

6. **negotio** — "trouble." *Negotium* is the negative of *otium*: "leisure"

14 ff. are God's reply to the psalmist.

15. Clamabit ad me, et ego exaudiam eum: cum ipso sum in tribulatione: eripiam et glorificabo eum.

16. Longitudine dierum replebo eum: et ostendam illi salutare meum.

D. Isaiah 40:1-8

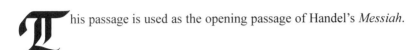 his passage is used as the opening passage of Handel's *Messiah*.

1. Consolamini, consolamini, popule meus, dicit Deus vester.

2. Loquimini ad cor Jerusalem, et advocate eam: quoniam completa est malitia ejus, dimissa est iniquitas illius: suscepit de manu Domini duplicia pro omnibus peccatis suis.

3. Vox clamantis in deserto: Parate viam Domini, rectas facite in solitudine semitas Dei nostri.

4. Omnis vallis exaltabitur, et omnis mons et collis humiliabitur: et erunt prava in directa, et aspera in vias planas.

5. et revelabitur gloria Domini, et videbit omnis caro pariter quod os Domini locutum est.

6. Vox dicentis: Clama. Et dixi: Quid clamabo? Omnis caro foenum, et omnis gloria ejus quasi flos agri.

7. Exsiccatum est foenum, et cecidit flos: quia spiritus Domini sufflavit in eo. Vere foenum est populus:

8. Exsiccatum est foenum, et cecedit flos: verbum autem Domini nostri manet in aeternum.

---

1. **Consolamini** — the imperative "Be consoled" ("Comfort Ye")

2. **Jerusalem** — genitive; **eam** — refers to Jerusalem; **illius** — used as a possessive adjective; **duplicia** — "a double portion"

3. **Vox clamantis** — an expression used in the gospels that applied to John the Baptist; **solitudine** — "the wilderness"

4. **humiliabitur** — "will be made low"; **erunt prava in directa** — "the crooked will be made straight"; **aspera in vias planas** — "the rough ways plain"

6. **dicentis** — "of one saying"

8. **Exsiccatum** — "dried out"

E. Matthew 4:1-11

his passage forms the basis of "The Grand Inquisitor" parable in Dostoevsky's *Brothers Karamazov*.

1. Tunc Jesus ductus est in desertum a Spiritu, ut tentaretur a diabolo.
2. Et cum jejunasset quadraginta diebus, et quadraginta noctibus, postea esuriit.
3. Et accedens tentator dixit ei: Si filius Dei es, dic ut lapides isti panes fiant.
4. Qui respondens dixit: Scriptum est: Non in solo pane vivit homo, sed in omni verbo, quod procedit de ore Dei.
5. Tunc assumpsit eum diabolus in Sanctam civitatem, et statuit eum super pinnaculum templi.
6. Et dixit ei: Si filius Dei es, mitte te deorsum. Scriptum est enim: Quia angelis suis mandavit de te, et in manibus tollent te, ne forte offendas ad lapidem pedem tuum.
7. Ait illi Jesus: rursum scriptum est: Non tentabis Dominum Deum tuum.
8. Iterum assumpsit eum diabolus in montem excelsum valde: et ostendit ei omnia regna mundi, et gloriam eorum.
9. Et dixit ei: Haec omnia tibi dabo, si cadens adoraveris me.
10. Tunc dicit ei Jesus: Vade Satana: Scriptum est enim: Dominum Deum tuum adorabis, et illi soli servies.
11. Tunc reliquit eum diabolus: et ecce angeli accesserunt et ministrabant ei.

---

1. **tentaretur** — "to be tempted"
3. **tentator** — "the tempter," "the devil," "Satan"
4. **non in solo pane** — "not by bread alone"
5. **statuit** — "cause to stand"; **pinnaculum** — "the top," "the pinnacle"
6. **ne offendas ad lapidem** — "lest you dash against a stone"
9. **cadens** — "prostrating yourself"

F. Magnificat

he canticle "Magnificat" is used at the end of Vespers. The words are attributed to Mary, the Mother of Jesus, which she spoke after the greeting of her cousin Elizabeth who was the mother of John the Baptist.

Luke 1

46. Magnificat anima mea Dominum:
47. Et exultavit spiritus meus in Deo salutari meo.
48. Quia respexit humilitatem ancillae suae: ecce enim ex hoc beatam me dicent omnes generationes.
49. Quia fecit mihi magna qui potens est: et sanctum nomen ejus.
50. Et misericordia ejus a progenie in progenies timentibus eum.
51. Fecit potentiam in brachio suo: dispersit superbos mente cordis sui.
52. Deposuit potentes de sede, et exaltavit humiles.
53. Esurientes implevit bonis: et divites dimisit inanes.
54. Suscepit Israel puerum suum, recordatus misericordiae suae.
55. Sicut locutus est ad patres nostros, Abraham, et semini ejus in saecula.

---

50. **progenies** — "generation"
51. **mente cordis sui** — a difficult passage; "in the spirit (conceit) of their heart"
54. **suscepit** — "he has protected"

G. Canticle of Zachary

he "Canticle of Zachary" is said at the end of Lauds in the Divine Office. This is the "prophecy" he uttered when he gave the name to John the Baptist having been struck dumb for months.

Luke 1

68. Benedictus Dominus Deus Israel, quia visitavit, et fecit redemptionem plebis suae:
69. Et erexit cornu salutis nobis: in domo David pueri sui.
70. Sicut locutus est per os sanctorum, qui a saeculo sunt, prophetarum ejus:
71. Salutem ex inimicis nostris, et de manu omnium, qui oderunt nos:
72. Ad faciendam misericordiam cum patribus nostris: et memorari testamenti sui sancti
73. Jusjurandum, quod juravit ad Abraham patrem nostrum daturum se nobis:
74. Ut sine timore, de manu inimicorum nostrorum liberati, serviamus illi,
75. In sanctitate, et justitia coram ipso, omnibus diebus nostris.
76. Et tu puer, propheta Altissimi vocaberis: praeibis enim ante faciem Domini parare vias ejus:
77. Ad dandam scientiam salutis plebi ejus, in remissionem peccatorum eorum:
78. Per viscera misericordiae Dei nostri in quibus visitavit nos, oriens ex alto:
79. Illuminare his, qui in tenebris, et in umbra mortis sedent: ad dirigendos pedes nostros in viam pacis.

---

68. **Benedictus** — "Blessed be"
69. **David** — genitive
70. **sanctorum** goes with *prophetarum;* **a saeculo** — "from earliest time," "the beginning"
73. the oath is in Genesis 22:16
78. **Per viscera misericordiae** — a difficult translation; the sense is "through the depths of compassion"; **oriens ex alto** — "the dawn from on high," *i.e.* the Messanic era or the Messiah

H. Luke 18:9-26

9. Dixit autem et ad quosdam, qui in se confidebant tamquam justi, et aspernabantur ceteros, parabolam istam:
10. Duo homines ascenderunt in templum ut orarent: unus Pharisaeus, et alter publicanus.
11. Pharisaeus stans, haec apud se orabat: Deus, gratias ago tibi, quia non sum sicut ceteri hominum, raptores, adulteri, velut etiam hic publicanus.
12. Jejuno bis in sabbato: decimas do omnium, quae possideo.
13. Et publicanus a longe stans, nolebat nec oculos ad coelum levare: sed percutiebat pectus suum, dicens: Deus propitius esto mihi peccatori.
14. Dico vobis, descendit hic justificatus in domum suam ab illo: quia omnis, qui se exaltat, humiliabitur: et qui se humiliat, exaltabitur.
15. Afferebant autem ad illum et infantes, ut eos tangeret. Quod cum viderent discipuli, increpabant illos.
16. Jesus autem convocans illos, dixit: Sinite pueros venire ad me, et nolite vetare eos: talium est enim regnum Dei.
17. Amen dico vobis: Quicumque non acceperit regnum Dei sicut puer, non intrabit in illud.
18. Et interrogavit eum quidam princeps, dicens: Magister bone, quid faciens vitam aeternam possidebo?
19. Dixit autem ei Jesus: Quid me dicis bonum? nemo bonus nisi solus Deus.

---

10. **Pharisaeus** — The Pharises were the Jewish elite at the time of Jesus, who kept the law very strictly; **publicanus** — a a tax collector for the Romans. They were despised by the Jews as agents of the heathen oppressors.
11. **apud se** — "to himself"
12. **decimas** — "a tenth," *i.e.* he gave a fixed amount (a tithe) to charity
13. **a longe** — "far away"; **propitius esto** — "be merciful"
14. **justificatus** — "justified"; **illo** — refers to *templum*
16. **talium** — "belongs to such as these," a genitive of quality
17. **illud** — refers to *regnum*
19. **Quid** — why?

I. The Beginning of John's Gospel

The Gospel of John was the last of the four gospels to have been written and is more philosophical than the other three. This introduction is an important philosophical statement of the relationship of God, the Father, to the Word (*Logos*), God the Son, or Jesus the Christ.

1. In principio erat Verbum, et Verbum erat apud Deum, et Deus erat Verbum.
2. Hoc erat in principio apud Deum.
3. Omnia per ipsum facta sunt, et sine ipso factum est nihil quod factum est.
4. In ipso vita erat, et vita erat lux hominum;
5. et lux in tenebris lucet, et tenebrae eam non comprehenderunt.
6. Fuit homo missus a Deo, cui nomen erat Joannes.
7. Hic venit in testimonium, ut testimonium perhiberet de lumine, ut omnes crederent per illum.
8. Non erat ille lux sed ut testimonium perhiberet de lumine.
9. Erat lux vera quae illuminat omnem hominem venientem in hunc mundum.
10. In mundo erat, et mundus per ipsum factus est et mundus eum non cognovit.
11. In propria venit, et sui eum non receperunt.
12. Quotquot autem receperunt eum, dedit eis potestatem filios Dei fieri, his qui credunt in nomine ejus.
13. qui non ex sanguinibus, neque ex voluntate carnis, neque ex voluntate viri, sed ex Deo nati sunt.

---

1. **Verbum** — the Latin version of the Greek "Logos," "the Word"
2. **Hoc** — refers to *Verbum* and is equivalent to "He," as is *ipse* in the following lines
7. **Hic** — refers to *Joannes,* John, as does *illum* and *ille* in verse 8
8. **in testimonimum** — "as testimony"; **ut perhiberet** — "So that he might give testimony"
9. **Erat** — the subject switches back from John to "the Word"
11. **In propria** — "to his own people"; *sui* has the same meaning. **quotquot** — "as many as"
12. Note that **fieri** here governs the accusative instead of the predicate nominative as in line 16.
13. **qui** — the subject of *nati sunt*

14. Et Verbum caro factum est, et habitavit in nobis; et vidimus gloriam ejus, gloriam quasi Unigeniti a Patre, plenum gratiae et veritatis.

J. From the First Epistle of Paul to the Church of Corinth, Chapter 13

This portion of the Epistle is now often read at weddings. Here a distinction is made between love that is carnal — *amor* (in Greek *eros*) and that which holds in higher esteem and is more closely tied to the relationship between God and man. The difference is shown in the verbs *amo* and *diligo* which means "love," "prize," "esteem." There are included in this text several intriguing suggestions of early Christian beliefs and practices including the gifts of "tongues" and prophecy.

1. Si linguis hominum loquar, et angelorum, caritatem autem non habeam, factus sum velut aes sonans, aut cymbalum tinniens.

2. Et si habuero prophetiam, et novero mysteria omnia, et omnem scientiam: et si habuero omnem fidem ita ut montes transferam, caritatem autem non habuero, nihil sum.

3. Et si distribuero in cibos pauperum omnes facultates meas, et si tradidero corpus meum, ita ut ardeam, caritatem autem non habuero, nihil mihi prodest.

4. Caritas patiens est, benigna est: Caritas non aemulatur. Non agit perperam non inflatur;

5. non est ambitiosa, non quaerit quae sua sunt, non irritatur, non cogitat malum,

---

14. **in nobis** — the sense of "among us"; **Unigeniti** — "of the Only Begotten"

1. **linguis** — "tongues" or "language"; **caritas** — "love" or "charity" but in the sense of the Greek word, *agape*. Here is a good example of a future less vivid condition. **aes** — "a gong" or "bronze"
2. Note the use of the future perfect instead of the future or present tense in this and following verses.
3. **in cibos pauperum** — "into food for the poor"; **facultates** — "resources," "riches," "property"
4. **aemulatur** — "does not envy"
5. **quae sua sunt** — "those things which are hers" (charity's)

6. non gaudet super iniquitate, congaudet autem veritati:
7. omnia suffert, omnia credit, omnia sperat, omnia sustinet.
8. Caritas numquam excidit: sive prophetiae evacuabuntur, sive linguae cessabunt, sive scientia destruetur.
9. Ex parte enim cognoscimus, et ex parte prophetamus.
10. Cum autem venerit quod perfectum est, evacuabitur quod ex parte est.
11. Cum essem parvulus, loquebar parvulus, sapiebam ut parvulus, cogitabam ut parvulus. Quando autem factus sum vir, evacuavi quae erant parvuli.
12. Videmus nunc per speculum in aenigmate: tunc autem facie ad faciem. Nunc cognosco ex parte: tunc autem cognoscam sicut et cognitus sum.
13. Nunc autem manent, fides, spes, caritas, tria haec: major autem horum est caritas.

---

6. **super** with the ablative means "in"; **congaudet** takes the dative and means "rejoices with."
7. The subject of these verbs is **caritas**.
8. **evacuabuntur** — "will be cancelled," "made void"
9. **ex parte** — "in part" or "partially"
10. The "**quod**" clause is the subject of *evacuabitur*.
11. **quae erant parvuli** — "those things which were childish"
12. **aenigma, aenigmitatis** — "that which is dark," "a riddle"
    facie ad faciem — "face to face"

St. Jerome
(340–420)

erome (Eusebius Hieronymus) was from Dalmatia (Croatia) and studied under Donatus, a very famous teacher. He led a somewhat worldly life, perhaps until the illness described below. From 382–385 he was secretary to Pope Damasus. Subsequently, he was commissioned to do a translation of the Bible that would be used commonly (the Vulgate). This was for many centuries the authorized version in the Western Church and was the most important influence on the Medieval Latin.

from the Letters

These excerpts are from a letter from Jerome to Eustochium, a pious woman who followed him to Bethlehem for spiritual direction. This is an important document in the history of Christian anti-intellectualism.

Itaque miser ego lecturus Tullium ieiuniebam; post noctium crebras vigilias, post lacrimas, quas mihi praeteritorum recordatio peccatorum ex imis visceribus eruebat. Plautus sumebatur in manibus. Si quando in memet reversus prophetas legere coepissem, sermo horrebat incultus, et quia lumen caecis oculis non videbam, non oculorum putabam culpam esse, sed solis. Dum ita me antiquus serpens inluderet, in media ferme quadragesima

5

---

1. **lecturus** — the future participle to express purpose
   Tullium — Cicero. Here Jerome is doing penance in advance for his supposed sin of reading a secular author.
2. **mihi** — the "ethical dative" translated as "my"
3. **Plautus** — Roman comic playwright
4. **memet** — emphatic form of the personal pronoun; **prophetas** — the Prophets here, meaning the the Old Testament of the Bible
5. **horrebat** — "cause to shudder." Jerome had esthetic problems with the Latin versions of the Bible that were then available.
6. **solis** — from *sol*
7. **antiquus serpens** — "the devil"

medullis infusa febris corpus invasit exhaustum et sine ulla requie
— quod dictu quoque incredibile est sic infelicia membra depasta
10   est, ut ossibus vix haererem.

Interim parabantur exsequiae cum subito raptus in spiritu ad
tribunal iudicis pertrahor, ubi tantum luminis et tantum erat ex
circumstantium claritate fulgoris, ut proiectus in terram sursum
aspicere non auderem. Interrogatus condicionem, Christianum
15   me esse respondi: et ille qui residebat, "Mentiris," ait,
"Ciceronianus es, non Christianus; ubi thesaurus tuus, ibi et cor
tuum." Ilico obmutui...Clamare tamen coepi et eiulans dicere:
"Miserere mei, domine, miserere mei "Precabantur ut veniam,
tribueret adulescentiae, ut errori locum paenitentiae com-
20   modaret exacturus deinde cruciatum, si gentilium litterarum
libros aliquando legissem. Ego qui tanto constrictus articulo
vellem etiam maiora promittere, deiurare coepi et nomen eius
obtestans dicere: 'Domine, si umquam habuero codices saeculares, si legero, te negavi."

---

8. **infusa** — from *infundo;* modifies *febris;* **exhaustum** — modifies *corpus,* which
   is accusative
9. **dictu** — the supine in *u* after *incredibile*: "incredible to tell"
10. **vix haererem** — result clause: "that I could scarcely cling"
12. **luminis** — partitive genitive after *tantum;* **iudicis** — "the judge." This presents
   the Christian idea of being judged at death.
12–13 **ex...claritate fulgoris** — a tautology, literally "from the brightness of splendor"
14. **interrogatus** — "when I was asked about"; **condicionem** — "state of life" or
   "status"
15. **residebat** — "was sitting in judgement"
16. **Ciceronianus** — "Ciceronian," "follower of Cicero"
   ubi thesaurus — Matthew 6:21
18. The subject of **precabantur** is those who were standing around (*circumstantium*)
19. **adulescentiae** — dative "because of my immaturity"
19–20. **ut...commodaret** etc. — "that he give an opportunity for penance because of
   my mistake"
20. **exacturus** — see note on line 1
   gentilium — "pagan," "gentile"
21. **tanto articulo** — "in such a difficult moment"
22. **deiurare** — "to swear"
23–24. **codices saeculares** — "worldly books"

St. Ambrose
(340–97)

Ambrose, originally an imperial bureaucrat, became the bishop of Milan and an advocate of orthodoxy. He was an important catalyst in the conversion of Augustine. He is one of the Doctors of the Church, who helped to teach orthodoxy by composing hymns that taught sound doctrine and were easily learned.

This hymn used to be sung on Monday at Lauds. The sun is a representation of the Father, the rays of light refer to Jesus the Christ.

Morning Hymn

Splendor paternae gloriae,
de luce lucem proferens,
lux lucis et fons luminis,
diem dierum illuminans,

5   Verusque sol, illabere
micans nitore perpeti
iubarque Sancti spiritus
infunde nostris sensibus.

Votis vocemus et patrem,
10   patrem perennis gloriae,
patrem potentis gratiae,
culpam releget lubricam.

---

4. **diem dierum** — a way of intensifying the sense of daylight
5. **illabere** — imperative "stream down," "descend"
9. **et** — "also"
12. **culpam** — here not so much "fault" as "inclination to sin"

Informet actus strenuos,
dentem retundat invidi,
15   casus secundet asperos,
donet gerendi gratiam.

Mentem gubernet et regat
casto, fideli corpore,
fides calore ferveat,
20   fraudis venena nesciat.

Christusque noster sit cibus,
potusque noster sit fides,
laeti bibamus sobriam
ebrietatem spiritus.

25   Laetus dies hic transeat,
pudor sit ut diluculum,
fides velut meridies,
crepusculum mens nesciat.

Aurora cursus provehit,
30   aurora totus prodeat,
in patre totus filius
et totus in verbo pater.

---

14. **invidi** — "of the envious one," "the devil"
15. **casus asperos** — "difficult situations"
16. **gerendi** — gerund "of acting properly"
20. **fraudis venena** — "the poison of error"
23–24. **sobriam ebrietatem** — "the sober intoxication"
    (outpouring): an oxymoron.
  30. **aurora totus prodeat** — "Let He, the complete dawn, come forth."

Easter Hymn

B. The "Exsultet" is of doubtful authorship. It was originally assigned to Augustine, but this seems doubtful. It is more possible that the hymn was written by Ambrose. It is still sung at the Easter vigil service.

Exsultet jam angelica turba caelorum.
Exsultent divina mysteria:
    et pro tanti regis victoria tuba insonet salutaris.
Gaudeat et tellus tantis irradiata fulgoribus:
5   et aeterni regis splendore illustrata totius orbis se sentiat amisisse caliginem.
Laetetur et mater ecclesia tanti luminis adornata fulgoribus:
    et magnis populorum vocibus haec aula resultet....
Haec sunt enim festa paschalia:
10   in quibus verus ille agnus occiditur, cujus sanguine postes fidelium consecrantur.
Haec nox est:
    in qua primum patres nostros, filios Israel, eductos de Aegypto mare rubrum sicco vestigio transire fecisti.
15 Haec igitur nox est:
    quae peccatorum tenebras columnae illuminatione purgavit.
Haec nox est:
    quae hodie per universum mundum in Christo credentes a vitiis saeculi et caligine peccatorum segregatos reddit
20   gratiae, sociat sanctitati.

---

1. **Exsultet** — the sense is "rejoice"
3. **tuba salutaris** — "the trumpet of salvation," a reference to St. Paul's "The trumpet shall sound"
5. **sentiat** — the subject is "the earth"
10–11. **postes fidelium** — refers to the door posts of the Israelites that were smeared with lambs' blood to protect them from the avenging angel that killed the first born of the Egyptians
13. **filios Israel** — "the sons of Israel," in apposition to *patres nostros*
14. **mare rubrum** — "the Red Sea"
16. **columnae illuminatione** — The Israelites were guided in the desert by a lighted column of cloud.
20. **sociat sanctitati** — "joins in holiness"

Haec nox est:
> in qua destructis vinculis mortis Christus ab inferis victor
> ascendit.

Nihil enim nobis nasci profuit: nisi redimi profuisset.

25 O mira circa nos tuae pietatis dignatio.

O inaestimabilis dilectio caritatis:
> ut servum redimeres, filium tradidisti.

O certe necessarium Adae peccatum:
> quod Christi morte deletum est.

30 O felix culpa:
> quae talem ac tantum meruit habere redemptorem.

O vere beata nox:
> quae sola meruit scire tempus et horam in qua Christus ab
> inferis resurrexit....

---

24. **nobis nasci** — "to be born for us"; **nisi redimi profuisset** — "if it had not benefitted us to be redeemed"

25. **dignatio** — "grace"

28–30. "O absolutely necessary sin of Adam." This and "*O Felix culpa*" see the writer
carried away by emotion that is questionable theology.

Aurelius Prudentius Clemens
(348–405)

P rudentius, a Spaniard, was schooled in classical literature and in later life wrote Latin Hymns. He is called the Christian Vergil or Horace. The poem here transcribed is from the "Cathemerinon," "Hymns for the Day." His work, the *Psychomachia,* an allegory, had a significant effect on later Christian literature. Most of his poetry was too sophisticated and rhetorical to find its way into the liturgy.

The metre is the trochaic tetrameter catalectic, a metre known to have been used for marching songs during the Roman Empire. The metre appears in the "Pange Lingua…certaminis" of Venantius Fortunatus, "Pange Lingua…mysterium" of Thomas Aquinas and more recently "Deutschland uber alles." The poem of which this is an excerpt deals with events in the life of Jesus, the Christ.

A. From a Hymn For Every Hour

    Corde natus ex parentis ante mundi exordium,
    Alpha et O cognominatus, ipse fons et clausula
3   Omnium quae sunt, fuerunt, quaeque post futura sunt.

The word order is sometimes difficult. Pair subjects with verbs, adjectives (and participles) with the nouns they modify.

1. **corde** — ablative of source with *ex*
   natus — "born"; **parentis** — "of the parent" (God the Father)
2. **Alpha et O** — "Alpha and Omega" (Revelation 1:8), "the beginning and end"
3. **futura sunt** — periphrastic: "will be"

Ipse jussit, et creata, dixit ipse, et facta sunt
5   Terra, caelum, fossa ponti, trina rerum machina
Quaeque in his vigent sub alto solis et lunae globo.

Corporis formam caduci, membra morti obnoxia
Induit, ne gens periret primoplasti ex germine
Merserat quem lex profundo noxialis Tartaro.

10   O beatus ortus ille, virgo cum puerpera
Edidit nostram salutem feta Sancto Spiritu
Et puer redemptor orbis os sacratum protulit.

Psallat altitudo caeli, psallite omnes angeli,
Quidquid est virtutis usquam psallat in laudem Dei.
15   Nulla linguarum silescat, vox et omnis consonet.

Ecce, quem vates vetustis concinebant saeculis,
Quem prophetarum fideles paginae spoponderant,
Emicat promissus olim: cuncta conlaudent eum.

---

4. **creata** — supply *sunt*
5. **trina rerum machina** — "the threefold structure of the universe."
6. **quaeque vigent** — "whatever lives"
7. **Corporis...caduci** — "of the fallen body": refers to the fall of Adam, who was no longer immortal; **obnoxia** — "subject to," "doomed to"
8. **primoplasti** — "of the first formed," *i.e.* Adam.
9. **lex,** "the law," "God's punishment"; **Tartaro** — "to hell"; **ortus** — "birth"; **puerpera** — "child-bearing"
11. **feta Sancto Spirito** — "having conceived by the Holy Spirit"
12. **os sacratum** — "sacred face"
14. **quidquid est virtutis usquam psallat** — "let every power sing everywhere": *virtutis* is partitive genitive, literally "whatever of power"
15. **linguarum** is also partitive genitive, but an unusual use after *nulla*.
17. **spoponderant** — from *spondeo*

B. From the Martyrdom of St. Cassian

This selection is from the *Peristephanon* — the *Crown of Martyrdom*. The death of St. Cassian may please those who have had teachers who were harsh disciplinarians. This is written in classical elegiac metre, which originally was tombstone verse. In the Christian idiom, it is appropriate for the commemoration of martyrs. This is an example of ecphrasis, a rhetorical exercise describing a work of art.

> Stratus humi tumulo advolvebar, quem sacer ornat
> martyr dicato Cassianus corpore.
> Dum lacrimans mecum reputo mea vulnera et omnes
> vitae labores ac dolorum acumina,
> 5   erexi ad caelum faciem, stetit obvia contra
> fucis colorum picta imago martyris
> plagas mille gerens, totos lacerata per artus,
> ruptam minutis praeferens punctis cutem.
> innumeri circum pueri, miserabile visu,
> 10   confossa parvis membra figebant stilis,
> unde pugillares soliti percurrere ceras
> scholare murmur adnotantes scripserant.
> Aedituus consultus ait: "quod prospicis, hospes,
> non est inanis aut anilis fabula;
> 15   historiam pictura referet, quae tradita libris
> veram vetusti temporis monstrat fidem.

---

1. **stratus...advolvebar** — a bit of hyperbole to indicate his veneration of the martyr prostrate on the ground
2. **dicato** — his body was consecrated because he was martyred
3. **vulnera** — the wounds probably refer to his (Prudentius') sins
5. **obvia contra** — "facing me"
10. **stilis** — Roman children learned to write with a stylus on wax tablets.
11. **pugillares** — "writing tablets"
12. **scholare murmur** — "the academic drone"
14. **anilis fabula** — "old wife's tale"
16. **veram fidem** — "true assurance"

St. Augustine
(354–430)

Augustine was born in North Africa (now Eastern Algeria) of Patrick and Monica. He began as a rhetorician and teacher at Tagaste. *The Confessions* indicate that he led a dissolute life and then became involved in the Manichean cult. In 383 he went to Milan and, influenced by Bishop Ambrose, became an orthodox Christian. He returned to Africa and was appointed Bishop of Hippo in Tunisia. His towering intellect left its mark on church doctrine and philosophy. He is considered to be one of the great philosophers of all time. *The Confessions, City of God* and *On the Immortality of the Soul* are among his well known works. The excerpts below are from his letters and from *The Confessions.* You will note that some of his sentences are exceedingly long.

A. From a letter to Jerome

The passage referred to is Paul's Epistle to the Galatians (2;14) which refers to Peter's erratic behavior at Antioch, when he refused to eat with gentiles after having done so at first, for fear of giving scandal to Jewish converts. This passage caused confusion to the early fathers of the church.

Legi etiam quaedam scripta, quae tua dicerentur, in epistulas apostoli Pauli, quarum ad Galatas cum enodare velles, venit in manus locus ille, quo apostolus Petrus a perniciosa simulatione revocatur. Ibi patrocinium mendacii susceptum esse vel abs te tali
5   viro vel a quopiam, si alius illa scripsit, fateor, non mediocriter

---

1. **quaedam scripta** — "some books"
   tua dicerentur — "said to be by you": note use of subjunctive
   "in epistulas" — note the accusative to mean "on" or "dealing with"
   Galatas — the Epistle to the Galatians
2. **"enodare"** — "to explain," literally "to untie"
3. **a perniciosa simulatione** — "from pernicious deceit"
4. **patrocinium** — "defense": direct object of *doleo,* which also takes indirect discourse
4–5. **tali viro** — "by such a man as you"
5. **a quopiam** — "by someone else"

doleo, donec refellantur, si forte refelli possunt, ea quae me
movent. Mihi enim videtur exitiosissime credi aliquod in libris
sanctis esse mendacium, id est, eos homines per quos nobis illa
scriptura ministrata est atque conscripta, aliquid in libris suis
10   fuisse mentitos. Alia quippe quaestio est,
sitne aliquando mentiri viri boni, et alia quaestio est,
utrum scriptorem sanctarum scripturarum mentiri oportuerit,
immo vero non alia, sed nulla quaestio est. Admisso enim
semel in tantum auctoritatis fastigium officioso aliquo mendacio,
15   nulla illorum librorum particula remanebit.

B. from The Confessions

This work is unique in antiquity and has been an influential spiritual work especially since it suggests that man by nature may irresistibly be inclined towards evil. These two short passages, outpourings from the heart, are justly famous.

The opening of the passage includes portions of Psalm 144 and 146.

1. Introduction

Magnus es, domine, et laudabilis valde: magna virtus tua et sapientiae tuae non est numerus. Et laudare te vult homo, aliqua
3   portio creaturae tuae, et homo circumferens mortalitatem suam,

---

7. **exitiossime** — "disastrous"
8–9. **in libris sanctis** — *i.e.* the bible
  9. **ministrata est atque conscripta** — "as transmitted and written," *i.e.* the scrip-
    tures
11. **viri boni** — genitive of characteristic, "it is the character of"
13. **sed nulla quaestio est** — "there is no question about it"
13–15. **Admisso...officioso aliquo mendacio** — "if some well meaning lies has
    been admitted even once"

  1. **Magnus virtus tua** — supply *est;* **valde** — "very"
1–2. **sapientiae** — dative of possession; **numerus** — "measure"
  3. **creaturae** — "creation"

circumferens testimonium peccati sui et testimonium quia superbis
5   resistis. Et tamen laudare te vult homo, aliqua portio creaturae
tuae. Tu excitas, ut laudare te delectet, quia fecisti nos ad te et
inquietum est cor nostrum, donec requiescat in te.

2.

Sero te amavi, pulchritudo tam antiqua et tam nova, sero te
amavi! Et ecce intus eras et ego foris, et ibi te quaerebam, et in
10   ista formosa, quae fecisti, deformis inruebam. Mecum eras, et
tecum non eram. Ea me tenebant longe a te, quae si in te non
essent, non essent. Vocasti et clamasti et rupisti surditatem meam,
coruscasti splenduisti et fugasti caecitatem meam; fragrasti, et
duxi spiritum et anhelo tibi, gustavi et esurio et sitio; tetegisti me
15   et exarsi in pacem tuam.

What follows describes the events just prior to the conversion of Augustine; how a
random voice at an opportune time changed his perspective and the course of his life.

3.

Ego sub quadam fici arbore stravi me nescio quomodo et dimisi
habenas lacrimis, et proruperunt flumina oculorum meorum,
acceptabile sacrificium tuum, et non quidem his verbis, sed in hac
sententia multa dixi tibi: "Et tu, Domine, usquequo? Usquequo,
5   Domine, irasceris in finem? Ne memor fueris iniquitatum nostrarum

---

4. **superbis** — "the proud"
6. **ad te** — "for yourself"
8. **sero** — "late"
10. **formosa** — "beauty"
11. **ea** — "those things"
12. **vocasti,** etc. — syncopated form
14. **duxi spiritum** — "I drew in my breath"
15. **exarsi in pacem** — "I burned (to possess) your peace"

1. **sub quadam fici arbore** — "under a fig tree": a very unusual construction
   stravi — from *sterno*
4. **sententia** — ablative: "with this purpose"
   usquequo — "How long?"
5. **in finem** — "forever." The quotes are from Psalms 6:3 and 79:5.

antiquarum." Sentiebam enim eis me teneri. Iactabam voces miserabiles: "Quamdiu, quamdiu cras et cras? Quare non modo? Quare non hac hora finis turpitudinis meae."

Dicebam haec et flebam amarissima contritione cordis mei. Et
10 ecce audio vocem de vicina domo cum cantu dicentis et crebro repetentis quasi pueri an puellae, nescio: "Tolle lege, tolle lege!" Statimque mutato vultu intentissimus cogitare coepi, utrumnam solerent pueri in aliquo genere ludendi cantitare tale aliquid, nec occurrebat omnino audisse me uspiam, repressoque impetu
15 lacrimarum surrexi, nihil aliud interpretans divinitus mihi iuberi, nisi ut aperirem codicem et legerem quod primum caput invenissem. Audieram enim de Antonio, quod ex evangelica lectione, cui forte supervenerat, admonitus fuerit, tamquam sibi diceretur quod legebatur: "Vade, vende omnia, quae habes, da pauperibus et
20 habebis thesaurum in caelis; et veni, sequere me," et tali oraculo confestim ad te esse conversum. Itaque concitus redii in eum locum, ubi sedebat Alypius: ibi enim posueram codicem apostoli, cum inde surrexeram. Arripui, aperui et legi in silentio capitulum, quo primum coniecti sunt oculi mei: "Non in comissationibus et
25 ebrietatibus, non in cubilibus et inpudicitiis, non in contentione et aemulatione, sed induite Dominum Iesum Christum et carnis

---

7. **modo** — "now"

11. **Tolle lege!** — imperatives

13. **tale aliquid** — "anything like this"

15. **nihil...iubere** — "interpreting it no other way than that it was divinely ordered"

16. **caput** — "chapter"

17. **Antonium** — St. Antony of Egypt (251–356), a famous early monk who fled from the world to the Egyptian desert. He was famous also for his temptations.
evangelica — "from the gospels"

18. **tamquam sibi diceretur** — "as if it had been said to him directly." The quote in the following line is from Matthew 19.

21. The subject of **esse conversum** is Antony.

22. **Alypius** — a friend and associate of Augustine, who later became Bishop of Tagaste

24. **in commissationibus** — "in reveling," "in rioting"

25. **in cubilibus** — "in lechery"

providentiam ne feceritis in concupiscentiis." Nec ultra volui legere nec opus erat. Statim quippe cum fine huiusce sententiae quasi luce securitatis infusa cordi meo omnes dubitationis tenebrae
30   diffugerunt.

26–27. **carnis providentiam ne feceritis** — "do not make provision for the flesh"

Sulpicius Severus
(360–420)

Sulpicius Severus was born in Aquitaine (France) and studied at Bordeaux. He was converted to Christianity about 389 with his friend Paulinus of Nola. Under the influence of St. Martin of Tours, he established something like a monastic community on his own estates. He can be called the father of hagiography in the West. His *Life of St. Martin,* from which the selection is taken, is a judicious mix of fact and the miraculous. The influence of Severus on subsequent hagiography was enormous, especially the use of the miraculous to authenticate God's approval of the saint's work.

From the Life of St. Martin of Tours

Item, cum in vico quodam templum antiquissimum diruisset et arborem pinum, quae fano erat proxima, esset adgressus excidere, tum vero antistes loci illius ceteraque gentilium turba coepit obsistere. Et cum idem illi dum templum evertitur, imperante
5   domino, quievissent, succidi arborem non patiebantur. Ille eos sedulo commonere nihil esse religionis in stipite: Deum potius, cui serviret ipse, sequerentur; arborem illam succidi oportere, quia esset daemoni dedicata. Tum unus ex illis, qui erat audacior ceteris: "Si habes," inquit, "aliquam de Deo tuo, quem dicis te
10   colere, fiduciam, nosmet ipsi succidemus hanc arborem, tu ruentem excipe; et si tecum est tuus, ut dicis, Dominus, evades."

---

1. **quodam** — used as the indefinite article
   diruisset — the subject is Martin
2. **fano** — "pagan temple"; **esset** — goes with *adgressus*
   excidere — the infinitive to express purpose. See "Medieval Latin," pp. ix–xiii.
3. **antistes** — here, a pagan chief priest
   gentilium — "of heathens"
4. **idem** — nominative plural, with *illi*: "those same people"
6. **commonere** — the narrative infinitive used instead of a conjugated verb
7. **sequerentur** — "they should follow"; **oportere** — indirect discourse; supply *dixit*
10. **nosmet** — intensive of the pronoun made even more emphatic by *ipsi*
10–11. **tu ruentem excipe** — "you catch (the tree) falling"

Tum ille intrepide confisus in Domino, facturum se pollicetur. Hic vero ad istius modi condicionem omnis illa gentilium turba consensit, facilemque arboris suae habuere iacturam si inimicum
15 sacrorum suorum casu illius obruissent. Itaque cum unam in partem pinus illa esset adclinis, ut non esset dubium quam in partem succisa corrueret, eo loci vinctus statuitur pro arbitrio rusticorum quo arborem esse casuram nemo dubitabat. Succidere igitur ipsi suam pinum cum ingenti gaudio laetitiaque coeperunt.
20 Aderat eminus turba mirantium. Iamque paulatim nutare pinus et ruinam suam casura minitari coepit. Pallebant eminus monachi et periculo propiore conterriti spem omnem fidemque perdiderant, solam Martini mortem expectantes. At ille confisus in Domino intrepidus opperiens, cum iam fragorem pinus concidens edidis-
25 set. Iam cadenti, iam super se ruenti elevata obviam manu, signum salutis opponit. Tum vero — velut turbinis modo retro actam putares — diversam in partem ruit, adeo ut rusticos, qui tuto in loco steterant, paene prostraverit. Tum vero, in caelum clamore sublato, gentiles stupere miraculo, monachi flere prae
30 gaudio, Christi nomen in commune ab omnibus praedicari; satisque constitit eo die salutem illi venisse regioni.

---

14. **facilem habuere iacturam** etc. — "they held that the falling of their tree would be justified"

15. **casu illius** — "by its fall"
    unam in partem — "to one side"

17. **eo loci** — "in that place": a curious use of the partitive genitive
    statuitur — "he was made to stand"

20. **eminus** — "from afar"

25. **cadenti** and **ruenti** — *oppono* takes both a direct and an indirect object. *Signum* is the direct object and these indirect object participles refer to the tree.

26. **signum salutis** — "the sign of the cross," literally "the sign of salvation"

26–27. **velut turbinis modo retro actam** — driven back "like a spinning top"

29. **stupere** and **flere** — historical infinitives used instead of finite verbs

31. **satisque constitit** — "it is certain enough"

Te Deum

This ancient hymn, ascribed to St. Ambrose, was used in the Medieval church during times of celebration. It used to be recited in monasteries at lauds. A pious legend reports that the hymn came to St. Ambrose by divine intervention while he was receiving the penitent Augustine back into the church.

The hymn is suitable for reciting while walking or marching, and has a compelling cadence.

Te Deum laudamus, te Dominum confitemur.
Te aeternum Patrem omnis terra veneratur.
Tibi omnes angeli, tibi caeli et universae potestates,
Tibi cherubim et seraphim incessabili voce proclamant:
5   Sanctus, sanctus, sanctus Dominus Deus Sabaoth!
Pleni sunt caeli et terra maiestatis gloriae tuae.
Te gloriosus apostolorum chorus,
Te prophetarum laudabilis numerus,
Te martyrum candidatus laudat exercitus;
10   Te per orbem terrarum sancta confitetur ecclesia,
Patrem immensae maiestatis, venerandum tuum verum et unicum
Filium, Sanctum quoque Paraclitum Spiritum.

Many expressions are in apposition as *Deum* and *dominum* in line 1
3–4. **potestates, cherubim** and **seraphim** — orders of angels (there are nine of them): the subject of *proclamant*
5. **Sabaoth** — from the Hebrew "of hosts"
6. **maiestatis** is partitive after *pleni;* **gloriae tuae** is an objective genitive depending on *maiestatis*
9. **candidatus** — "white-robed"
10. **per orbem terrarum** — "throughout the whole world"
11–12. **Patrem, Filium** and **Paraclitum** (the Paraclete, the Comforter, the Holy Spirit) are in apposition to *te* and the object of *confitetur*

Tu rex gloriae, Christe,
Tu Patris sempiternus es Filius.

15   Tu ad liberandum suscepturus hominem, non horruisti virginis uterum.
Tu, devicto mortis aculeo, aperuisti credentibus regna caelorum
Tu ad dexteram Dei sedes in gloria patris.
Iudex crederis esse venturus.

20   Te ergo quaesumus, tuis famulis subveni, quos pretioso sanguine redemisti.
Aeterna fac cum sanctis tuis in gloria numerari.
Salvum fac populum tuum, Domine, et benedic hereditati tuae
Et rege eos et extolle illos usque in aeternum

25   Per singulos dies benedicimus te,
Et laudamus nomen tuum in saeculum et in saeculum saeculi.
Dignare, Domine, die isto sine peccato nos custodire.
Miserere nostri, Domine, miserere nostri;
Fiat misericordia tua, Domine, super nos, quemadmodum sperav-

30   imus in te.
In te, Domine, speravi: non confundar in aeternum

---

13. **Tu, rex** — vocatives. Supply *es*.
15. **ad…hominem** — "when you were about to take human nature to liberate man"
17. **credentibus** — "to believers," "those believing"
19. **Iudex crederis esse venturus** — "You are believed to be the Judge who is to come"
20. **quaesumus** — from *quaeso*
22. **fac** — "grant that we"; **aeterna** goes with *gloria*
23. **Salvum fac** — "Save" or "make safe"; **benedic** — imperative; here it governs the dative.
24. **rege** — the imperative of *regere*
   usque in aeternum — "forever"
25. **per singulos dies** — "every day"
26. **in saeculum** etc. — "forever." The line contains a wonderful Latin cadence.
27. **Dignare** — imperative: "deign," "grant"
28. **Miserere** — note how this imperative governs the genitive instead of the dative as it usually does in medieval Latin.
29. **Fiat** — jussive subjunctive with the force of "let it be," "let it come down"
   quemadmodum — "since"
31. **non…aeternum** — "may I never be put to confusion"

The Fifth and Sixth Centuries

The fifth century was a difficult time in the Latin West. It was a period of political turmoil, with military pressure from the barbarian Germans and Huns and the ultimate collapse of Roman political power in Western Europe. By the end of the century, Ostrogoths had the power in Italy, Visigoths in Spain, Franks in France and the Angles, Saxons and Jutes in England. During this period, the Germans, though Christians, followed the Arian doctrine, almost as a badge of national identity.

Patrick organized the church in Ireland, which had never been subject to Rome, an event that had important consequences for the development of medieval culture. Latin usage by this time had noticeably changed. There is difficulty in spelling and a drift towards present vernacular usage and word order.

The sixth century was a watershed century that resulted in a decentralized Europe and saw the church, or more specifically the Papacy, as the only entity that had any real coherence in the West. During this century Clovis, the Frankish king, and Recared, the king of the Visigoths in Spain, rejected the Arian creed and became Orthodox Christians. At the beginning of the century, Boethius and Cassiodorus, who were officials in the court of Theodoric the Ostrogoth in Italy, did much to preserve classical literature and learning.

From prison, Boethius wrote *The Consolation of Philosophy,* an allegorical work justly admired by posterity. He also translated certain works of Aristotle from Greek to Latin that became part of the core curriculum in the monastic and Cathedral schools. Cassiodorus retired to Vivarium when he founded a monastery devoted to the preservation of the works of antiquity. At this time, Benedict established monasteries at Subiaco and Cassino. Later in the century, the Greek emperor Justinian reconquered Italy from the Ostrogoths and North Africa from the Vandals, a short-lived conquest that resulted in the disorganization and depopulation of both regions. Italy was left open to the depredations of the Lombards, and Africa to the Arabs the next century. In general, however, neither the sixth nor the seventh centuries was characterized by good Latin writing. It was a barbarous age about which Gregory of Tours has written graphically though ungrammatically. Venantius Fortunatus, a contemporary of Gregory, wrote some good verse and was an important transitional figure between classical verse with its arrangement of long and short syllables and medieval verse with stressed and unstressed syllables.

Towards the end of the century, Pope Gregory the Great did several things that were to establish the Papacy as a preeminent factor in the West. They included the Christianization of Britain, the uniting of the Visigothic kingdom to the church of Rome, writings that dealt with pastoral care and spiritual life and promotion of Benedictine monasticism.

Egeria

(5th century)

The *Itinerarium Egeriae* was a first-hand account of a pilgrimage to the holy places in the Near East by a Spanish noblewoman or nun. In some manuscripts she appears as Etheria or Eucharia. The date of her trip is uncertain, but took place sometime between 363 and 540. It is a useful source for liturgical practices because of her detailed description of the ceremonies in Jerusalem and other places.

Completo ergo omni desiderio, quo festinaueramus ascendere, cepimus iam et descendere ab ipsa summitate montis Dei, in qua ascenderamus, in alio monte, qui ei periunctus est, qui locus appellatur in Choreb; ibi enim est ecclesia./Nam hic est locus
5 Choreb, ubi fuit sanctus Helias propheta, qua fugit a facie Achab regis, ubi ei locutus est Deus dicens: "Quid tu hic Helias?," sicut scriptum est in libris regnorum./Nam et spelunca, ubi latuit sanctus Helias, in hodie ibi ostenditur ante hostium ecclesiae, que ibi est; ostenditur etiam ibi altarium lapideum, quem posuit ipse
10 sanctus Helias ad offerendum Deo, sicut et illi sancti singula nobis ostendere dignabantur./
Nam in primo capite ipsius uallis, ubi manseramus et uideramus rubum illum, de quo locutus est Deus sancto Moysi in igne uideramus etiam et illum locum, in quo steterat ante rubum sanctus
15 Moyses, quando ei dixit Deus: "Solue corrigiam calciamenti tui;

The Latin is direct and uses constructions that are more consistent with the spoken than literary language. There are many variances with literary Latin, but it is quite easy. Her innocence at what is being told to her by the tour guides can be noted even today when one sees guided tours in New York and other cities.

2. **cepimus** — *coepimus;* **montis Dei** — Mt. Sinai
4. **Choreb** — Mt. Horeb
6. The quote is from III Kings 19–9

locus enim, in quo stas, terra sancta est." Ac sic ergo cetera loca, quemadmodum profecti sumus de rubo, semper nobis ceperunt ostendere. Nam et monstrauerunt locum ubi fuerunt castra filiorum Israhel his diebus, quibus Moyses fuit in montem.

20 Monstrauerunt etiam locum ubi factus est uitulus ille; nam in eo loco fixus est usque in hodie lapis grandis. Nos etiam, quemadmodum ibamus, de contra uidebamus summitatem montis, que inspiciebat super ipsa ualle tota, de quo loco sanctus Moyses uidit filios Israhel habentes choros his diebus, qua fecerant uitulum.

25 Ostenderunt etiam petram ingentem in ipso loco ubi descendebat sanctus Moyses cum Iesu filio Naue, ad quem petram iratus fregit tabulas, quas afferebat. Ostenderunt etiam quemadmodum per ipsam uallem unusquisque eorum abitationes habuerant, de quibus abitationibus usque in hodie adhuc fundamenta parent,

30 quemadmodum fuerunt lapide girata.

---

16. Exodus 3
23. **inspiciebat** — look down
26. **Iesu** — with Joshua, son of Nun
28. **abitationes** — see "Medieval Latin," pp. ix–xiii.
30. **lapide girata** — "of stone made in circular form"

Orosius
(380–420)

Paulus Orosius, a Spaniard, was a pupil of Augustine, who sent him to Jerome in Jerusalem. He defended orthodoxy against the Pelagian heresy. His *History Against the Pagans* covers from Adam until 417. The first part of the history until 337 was culled from random sources.

The last part, however, is quite useful, especially since he was aware he was living during a transitional time. Orosius' idea of history follows that of Augustine, and exonerates Christianity from causing the disintegration of Western Europe at the end of the fourth century. His work was one of the standard universal histories used during the Middle Ages despite an uninteresting literary style.

from History Against the Pagans

Praeceptis tuis parui, beatissime pater Augustine atque utinam tam efficaciter quam libenter. Tu enim iam isto iudicio laborasti, utrumne hoc, quod praeciperes, possem.

* * * *

Sunt autem ab Adam primo homine usque ad Ninum "magnum" ut
5 dicunt regem, quando natus est Abraham, anni MMMCLXXXIIII, qui ab omnibus historiographis uel omissi uel ignorati sunt. A Nino autem uel Abraham usque ad Caesarem Augustum id est usque ad natiuitatem Christi, quae fuit anno imperii Caesaris quadragesimo

---

3. **utrumne hoc...possem** — "whether I could do"
6. **historiographis** — "by historians"
8. There is some chronological confusion about the reign of Augustus, which began after the battle of Actium in 31 B.C.E. and ended with his death in 14 C.E. Julius Caesar was killed 44 B.C.E. and the wars of succession lasted for about thirteen years. The forty-second year of Augustus' reign would be 11 C.E.

10 secundo, cum facta pace cum Parthis, Iani portae clausae sunt, et
bella toto orbe cessarunt, colligunter anni MMXV.

* * * *

Maiores nostri orbem totius terrae, oceani limbo circumseptum,
triquedrum statuere eiusque tres partes Asiam Europam et
Africam uocauerunt, quamuis aliqui duas, hoc est, Asiam ac
deinde Africam in Europam accipiendam putarint.

15 Asia tribus partibus oceano circumcincta per totam transversi
plagam orientis extenditur. Haec occasum uersus a dextra sui sub
axe septentrionis incipientem contingit Europam, a sinistra autem
Africam dimittit, sub Aegypto uero et Syria mare nostrum quod
Magnum generaliter dicimus habet.

20 Europa incipit ut dixi sub plaga septentrionis, a flumine Tanai,
qua Riphaei montes Sarmatico auersi oceanus Tanaim fluuium
fundunt, qui praeteriens aras et terminos Alexandri Magni in
Rhobascorum finibus sitos, Maeotidas auget paludes, quarum
inmensa exundatio iuxta Theodosiam urbem Euxinum Pontum
25 late ingreditur. Inde iuxta Constantinopolim longae mittunter
angustiae, donec eas mare hoc quod dicimus Nostrum accipiat.
Europae in Hispania occidentalis oceanus terminus est, maxime
ubi apud Gades insulas Herculis columnae uisunter et Tyrrheni
maris faucibus Oceani aestus inmittitur.

---

11 ff. Orosius' rather peculiar view of geography has the world shaped like a plate,
with Europe and Africa joined together, bounded by the oceans.

12. **triquedrum** — "three cornered," "threefold"

15–16. **transversi plagam orientis** — "the region of the entire East"; *haec* refers to Asia

17. **incipientem Europam** — "Europe beginning," the border of Europe

18. **Africam dimittit** — "it goes to Africa"; **sub** — "near"

20–21. **Tanai** — The Don River; **qua** — "where"; **Riphaei montes** — the
Rhiphaean Mountains, thought erroneously to be the source of the Don

22. **aras et terminos** — Conquerors set up monuments at the limit of their con-
quests.

23. **Rhobasci** — a tribe that lived at the edge of the Caspian Sea
Maeotidas…paludes — Maeotic marshes, the Sea of Azov

24. **Theodosiam urbem** — present day Feodosiya, a city on the Crimean Peninsula

26. **angustiae** — "a narrow body of water"

St. Patrick
(389–461)

So much of what we know of St. Patrick is unsubstantiated legend — like the banishing of the snakes from Ireland and explaining the Trinity by the shamrock. Most of what is reliable comes from the *Confession* — parts of which are included below. We know he was born either in Britain or France, and was a Roman citizen. He was abducted by raiders and sold into slavery in pagan Ireland, where he served as a shepherd. He escaped from Ireland to Gaul where he studied for the priesthood and was consecrated bishop. He went to Ireland as a missionary and was responsible for organizing the church and overthrowing the religion of the Druids. The Christianization of Ireland had an important impact on the development of medieval culture. His Latin is simple and the usage approximates the vernacular usage of that time.

Confessio

Ego Patricius peccator rusticissimus et minimus omnium fidelium et contemptibilissimus apud plurimos. Patrem habui Calpornium diaconum, filium quendam Potiti presbyteri. Villulam enim prope habuit, ubi ego capturam dedi. Annorum
5   eram tunc fere sedecim. Deum enim uerum ignorabam et Hiberione in captiuitate adductus sum cum tot milia hominum.

*****

Et ibi scilicet quadam nocte in somno audiui uocem dicentem mihi: "Bene ieiunas cito iturus ad patriam tuam," et iterum post paululum tempus audiui responsum dicentem mihi: "Ecce nauis

---

1. **rusticissimus** — "most unlearned"
2. **contemptibilissimus** — "the most despised," "worthless"
4. **capturam** — a noun, with *dedi* — "I suffered capture," "I was taken prisoner"
6. **Hiberione** — "Ireland"

10 tua parata est" — et non erat prope, sed forte habebat ducenta
    milia passus et ibi'numquam fueram nec ibi notum quemquam de
    hominibus habebam — et deinde postmodum conuersus sum in
    fugam et intermisi hominem cum quo fueram sex annis et ueni in
    virtute Dei, qui uiam meam ad bonum dirigebat et nihil metue-
15 bam donec perueni ad nauem illam.

    Et illa die qua perueni profecta est nauis de loco suo, et locutus
    sum ut haberem unde nauigare cum illis et gubernator displicuit
    illi et acriter cum indignatione respondit: "Nequaquam tu nobis-
    cum adpetes ire," et cum haec audiissem separaui me ab illis ut
20 uenirem ad tegoriolum ubi hospitabam, et in itinere coepi orare et
    antequam orationem consummarem audiui unum ex illis et for-
    titer exclamabat post me: "Veni cito, quia uocant te homines isti,"
    et statim ad illos reuersus sum, et coeperunt mihi dicere: "Veni,
    quia ex fide recipimus te; fac nobiscum amicitiam quo modo
25 uolueris."

10–11. **habebat...passus** — "it was two hundred miles away"
13. **intermisi** — "I left"
13–14. **in virtute Dei** — "by the power of God"
17. **ut...nauigare** — "that I might sail from that place"
20. **tegoriolum** — "hut," "cottage"
    hospitabam — "I was staying"
24. **ex fide** — "under our guarantee"

Sidonius Appolinaris
(430–ca. 480)

Sidonius Appolinaris was another transitional figure between the end of the Roman Empire and the breakup of the Roman Empire in the West. In a way, his works are anachronistic. He briefly was prefect of the city of Rome and later became Bishop of Clermont-Ferrand. He possessed some literary talent, which was rare for that time, and filled his works with mythological references. His verse is quite artificial and often pompous and reflects the taste of upper class Gallo-Romans. He is, however, a valuable source of information for the society and culture of Western Europe before the last Roman Emperor Romulus Augustulus was deposed in 476. After his death, he was locally venerated as a saint.

A. Ad Libellum

Quid faceret laetas segetes, quod tempus amandum
messibus et gregibus, vitibus atque apibus,
ad Maecenatis quondam sunt edita nomen;
hinc, Maro, post audes arma virumque loqui.
5 At mihi Petrus erit Maecenas temporis huius;
nam famae pelagus sidere curro suo.
Si probat, emittit, si damnat carmina, celat,

---

1. The first line is a paraphrase of the first line of *Georgics* I, "What made the corn-fields happy"
3. **ad Maecenatis…nomen** — The *Georgics* were dedicated to Maecenas.
4. **Maro** — Vergil
5. **Petrus** — the Imperial secretary under the Emperor Majorian
6. **curro** — a verb
7. Petrus has the power to approve or suppress the poems of Sidonius, a literary conceit.

nec nos ronchisono rhinocerote notat.

I, liber: hic nostrum tutatur, crede, pudorem;

10   hoc censore etiam displicuisse placet.

B. **Sidonius Candidiano Suo Salutem**

his letter is an amusing putdown to a friend who had been critical of the author's native Gaul.

Morari me Romae congratularis; id tamen quasi facete et fatiga-
tionum salibus admixtis: ais enim gaudere te quod aliquando
necessarius tuus videam solem, quem utique perraro bibitor
Araricus inspexerim. Nebulas enim mihi meorum Lugdunensium
5   exprobras et diem quereris nobis matutina caligine obstructum
vix meridiano fervore reserari.

Et tu istaec mihi Caesenatis furni potius quam oppidi verna
deblateras? De cuius natalis tibi soli vel iucunditate vel commodo
quid etiam ipse sentires, dum migras iudicavisti; ita tamen quod
10   te Ravennae felicius exsulantem auribus Padano culice perfossis

---

8. **ronchisono rhinocerote** — "with the snarl of a rhinoceros," *i.e.* angrily or with
contempt, a literary conceit for that time
9. **pudorem** — "modesty"

1. **id** — "you do it"; "do" is implied
3. **necessarius tuus** — in apposition to the verb
3–4. **bibitor Araricus** — "a drinker of the Arar (Saone River)": refers to Sidonius'
Gallic roots
4. **Lugdunensium** — of Lyons, in Burgundy
5. **exprobras** — takes both a direct and an indirect object
7–8. **istaec mihi …deblateras** — "you talk this trash to me"
Caesenatis — Cesena, near Rimini; **verna** — here the sense is "a native"
8. **soli** — "land," "soil"
9. **iudicavisti** — "you have proclaimed," "said openly"
10. **te…exsulantem** — direct object of *circumsilit*
Ravennae — locative. Ravenna was an important naval and administrative center located in marshland which bred mosquitos (*culex*) and frogs.
Padano — adjective, "of the Po"

municipalium ranarum loquax turba circumsilit. In qua palude indesinenter rerum omnium lege perversa muri cadunt aquae stant, turres fluunt naves sedent, aegri deambulant medici iacent,

15   algent balnea domicilia conflagrant, sitiunt vivi, natant sepulti, vigilant fures, dormiunt potestates, faenerantur clerici Syri psallunt, negotiatores militant milites negotiantur, student pilae senes, aleae iuvenes, armis eunuchi, litteris foederati.

Tu vide qualis sit civitas ubi tibi lar familiaris incolitur, quae

20   facilius territorium potuit habere quam terram. Quocirca memento innoxiis Transalpinis esse parcendum, quibus caeli sui dote contentis non grandis gloria datur si deteriorum collatione clarescant. Vale.

---

11. **municipalium ranarum** — "of the frogs, your fellow citizens"
12. **indesinenter** — "incessantly"
16. **faenerantur** — "practice usury"; clerics (and all Christians) were forbidden to lend money at interest. "The Syrians" is a late Latin word for moneylender.
18. **foederati** — "allied people," at that time probably barbarians
19. **incolitur** — "despite its swampy setting"
20. **territorium...terram** — refers to the expansion of Ravenna
21. **caeli** — refers to climate
22. **collatione** — "in comparison"

Boethius
(480–524)

Anicius Manlius Severinus Boethius, "the Last of the Romans," was head of the bureaucracy under the kingdom of Theodoric the Ostrogoth. He was accused of plotting against the King, and imprisoned and put to death. The selections are from his most famous work written in prison, *The Consolation of Philosophy,* a mix of prose and poetry. He made an important contribution to medieval education by translations and commentaries of many works of Aristotle and of Porphyry's *Isagogue* as well as works that were fundamental to the development of the quadrivium.

The meter of this poem is anapestic dimeter — a quite unusual meter.

A.

Si vis celsi iura tonantis
pura sollers cernere mente,
aspice summi culmina caeli
illic iusto foedere rerum
5   veterem servant sidera pacem.
non sol rutilo concitus igne
gelidum Phoebes impedit axem
nec quae summo vertice mundi
flectit rapidos Ursa meatus
10   numquam occiduo lota profundo

---

1. **celsi…tonantis** — "of the lofty thunderer" — *i.e.* God
4. **iusto foedere rerum** — "in the just compact of the universe"
6. **concitus** — from *concio*
7. **gelidum Phoebes…axem** — "the cold axle (chariot) of Phoebe" (the moon). *Phoebes* is the Greek genitive
9. **Ursa** — the constellation "The Great Bear." It is the subject of *cupit* (1.12).
10. **occiduo** — "setting" or "western"; **lota** — from *lavo*

cetera cernens sidera mergi
cupit oceano tinguere flammas.
semper vicibus temporis aequis
Vesper seras nuntiat umbras
15 revehitque diem Lucifer almum.
sic aeternos reficit cursus
alternus amor, sic astrigeris
bellum discors exulat oris.

B.

"Animadverto," inquam, "idque, uti tu dicis, ita esse consentio.
Sed in hac haerentium sibi serie causarum estne ulla nostri arbitrii libertas an ipsos quoque humanorum motus animorum fatalis
catena constringit?" "Est," inquit, "neque enim fuerit ulla ratio-
5   nalis natura quin eidem libertas adsit arbitrii. Nam quod ratione
uti naturaliter potest id habet iudicium quo quidque discernat; per
se igitur fugienda optandave dinoscit. Quod vero quis optandum
esse iudicat petit; refugit vero quod aestimat esse fugiendum.
Quare quibus in ipsis inest ratio, inest etiam volendi nolendique
10 libertas. Sed hanc non in omnibus aequam esse constituo. Nam
supernis divinisque substantiis et perspicax iudicium et incorrupta
voluntas et efficax optatorum praesto est potestas. Humanas vero
animas liberiores quidem esse necesse est cum se in mentis divinae

---

11. **cernens** — in apposition to *Ursa*, governing indirect discourse
13. **vicibus...aequis** — "with equal exchange"
14. **vesper** — the evening star
17. **alternus amor** — "mutual love"
17–18. **astrigeris...oris** — "from the starry regions"

1. **inquam** — present used for the past tense; **uti** — "as"
2. **haerentium...causarum** — "of closely connected causes"
   nostri arbitrii — "of our will"
4. **inquit** — "she said"; Philosophy is speaking here
5. **quin** — best translated as "unless"
6. **naturaliter** — "by its nature"
10. **constituo** — "I judge"
11. **substantiis** — "natures"
12. **praesto est** — "is here"

speculatione conservant; minus vero cum dilabuntur ad corpora,
15 minusque etiam, cum terrenis artubus colligantur. Extrema vero
est servitus cum vitiis deditae rationis propriae possessione
ceciderunt. Nam ubi oculos a summae luce veritatis ad inferiora
et tenebrosa deiecerint, mox inscitiae nube caligant, perniciosis
turbantur affectibus quibus accedendo consentiendoque quam
20 invexere sibi adiuvant servitutem et sunt quodam modo propria
libertate captivae. Quae tamen ille ab aeterno cuncta prospiciens
providentiae cernit intuitus et suis quaeque meritis praedestinata
disponit.

---

15. **colligantur** — "are bound together," "composed of"
   artubus — old form of ablative
16. **cum** — "when"
18. **inscitiae nube** — "by the cloud of unknowing"
19. **accedendo** — "by accepting," "giving in to"
21. **ab aeterno** — "from eternity"; **intuitus** — "consideration, regard": subject
22. **suis quaeque meritis** — "to each according to his merits"

St. Benedict of Nursia
(480–547)

Benedict of Nursia lived through the tumultuous period of the Ostrogothic Kingdom of Italy. His rule, adapted from many rules including St. Basil, Pachomius, Cassian and the Rule of the Master, was destined to have important and unique influence on the development of Western monasticism. It combines good sense, discipline and a basic understanding of human frailty. The rule is still followed today in Benedictine monasteries throughout the world and a portion of it is read at the main meal each day.

From The Rule of St. Benedict

De Opera Manuum Cotidiana

Otiositas inimica est animae et ideo certis temporibus occupari debent fratres in labore manuum, certis iterum horis in lectione divina. Ideoque hac dispositione credimus utraque tempora ordinari: id est ut a pascha usque kalendas Octobres a mane exeuntes
5   a prima usque hora paene quarta laborent quod necessarium fuerit; ab hora autem quarta usque hora qua sextam agent lectioni vacent. Post sextam autem surgentes a mensa pausent in lecta sua cum omni silentio, aut forte qui voluerit legere sibi sic legat ut alterum non inquietet. Agatur nona temperius, mediante octava

---

1. **Otiositas** — "idleness"; **certis** — in the sense of "fixed"
2. **fratres** — the brethren of the community
   iterum — equivalent to "and"
2–3. **lectione divina** — "spiritual reading"; **hac dispositione** — "in this way," "as follows"
4. **a mane** — see "Medieval Latin," pp. ix–xiii.
6. **sextam** — the office (Hour) of Sext
7. **pausent** — "let them rest"
8–9. **legat…inquietet** — an indication that individual reading was either whispered or subvocalized
   nona — the hour of None (ninth hour)
   temperius — "a little earlier"
   mediante octava hora — "in the middle of the eighth hour"

10   hora, et iterum quod faciendum est operentur usque ad vesperam.
     Si autem necessitas loci aut paupertas exegerit ut ad fruges recol-
     ligendas per se occupentur, non contristentur quia tunc vere
     monachi sunt, si labore manuum suarum vivunt sicut et patres
     nostri et apostoli. Omnia tamen mensurate fiant propter pusil-
15   lanimes.

     A kalendas autem Octobris usque ad caput quadragesimae usque
     ad horam secundam plenam lectioni vacent; hora secunda agatur
     tertia et usque nonam omnes in opus suum laborent quod eis ini-
     ungitur. Facto autem primo signo horae nonae disiungant ab
20   opere sua singuli, et sint parati dum secundum signum pulsaverit.
     Post refectionem autem vacant lectionibus suis aut psalmis. In
     quadragesimae vero diebus a mane usque tertia plena vacent
     lectionibus suis et usque decimam plenam operentur quod eis
     iniungitur.

25   In quibus quadragesimae diebus accipiant omnes singulos
     codices de bibliotheca quos per ordinem ex integro legant; qui
     codices in caput quadragesimae dandi sunt. Ante omnia sane
     deputentur unus aut duo seniores qui circumeant monasterium
     horis quibus vacant fratres lectioni, et videant forte inveniatur
30   frater acediosus qui vacat otio aut fabulis et non est intentus lectioni

---

11–12. **ad fruges recolligendas per se occupentur** — "that they be occupied in gathering the harvest themselves"
  14. **mensurate** — "in moderation"
  pusillanimes — "the faint hearted"
  16. **caput** — "beginning"
  17. **ad horam secundam plenam** — "until the end of the second hour"
  18. **tertia** — the Hour of Terce
  19. **primo signo horae nonae** — "at the first bell, for the Hour of None"
  20. **singuli** — "each one": subject of *disiungant*
  21. **refectio** — "meal"
  22. **usque tertia plena** — until the third hour (9:00 A.M.)
  25. **Singulos codices** — "a book"
  26. **per ordinem ex integro** — "in order entirely through"
  27. **in caput** — "at the beginning"
  30. **frater acediosus** — "slothful brother"; **fabulis** — "idle talk"

et non solum sibi inutilis est sed etiam alios distollit. Hic talis si, quod absit, repertus fuerit, corripiatur semel et secundo; si non emendaverit, correctioni regulari subiaceat taliter ut ceteri timeant. Neque frater ad fratrem iungatur horis incompetentibus.

35 Dominico item die lectioni vacent omnes, excepto his qui variis officii deputati sunt. Si quis vero ita neglegens et desidiosus fuerit ut non velit aut non possit meditare aut legere, iniungatur ei opus quod faciat ut non vacet.

Fratribus infirmis aut delicatis tale opus aut ars iniungatur ut nec
40 otiosi sint nec violentia laboris opprimantur aut effugentur; quorum imbecillitas ab abbate consideranda est.

(See "A Note on the Structure of the Roman Church.")

---

31. **distollit** — "disturbs," "distracts"
32. **quod absit** — "God forbid!"
33. **correctioni regulari** — "the punishment of the rule"
34. **iungatur** — "associate with"
35. **Dominico...die** — "on Sunday"
36. **deputati sunt** — "be assigned"
40. **effugentur** — "that they are not driven away"
41. **consideranda est** — "must be taken into consideration"

Gregory of Tours
(539–594)

G regory of Tours was born of a wealthy and distinguished Gallo-Roman family. After ordination, he was for twenty-one years Bishop of Tours, an important See in Gaul. His *History of the Franks* is a contemporary account of the Merovingians in Gaul with all their superstition and savagery and is an invaluable historical source. His Latin grammar is awful, the spelling atrocious, in spite of his having read some of Sallust and Vergil. Some call his writing the worst in the "darkest age" of the Barbarian West. Yet in spite of his stylistic lapses, he had a good gift of narrative and at times a wry sense of humor. He was canonized by the Church, perhaps more for his service than piety. The Latin of Gregory contrasts dramatically with that of Augustine, Jerome, who are a century earlier, or Isidore, a contemporary, or Bede, who lived a century later.

from The History of the Franks

A. Preface

Decedente atque immo potius pereunte in urbibus Gallicanis liberalium cultura litterarum, cum nonnullae res gererentur vel rectae vel inprobae, ac feretas gentium desaeviret, regum furor acueretur, ecclesiae inpugnarentur ab hereticis, a catholicis tegerentur,
5 ferveret Christi fides in plurimus tepisceret in nonnullis, ipsae quoque eclesiae vel ditarentur a devotis vel nudarentur a perfidis, nec repperiri possit quisquam peritus dialectica in arte grammaticus, qui haec aut stilo prosaico aut metrico depingeret versu, ingemiscebant saepius plerique, dicentes: "Vae diebus nostris, quia periit

---

1–2. **decedente...pereunte...cultura** — ablative absolute; **immo potius pereunte** — "almost to the point of vanishing," **Gallicanis** — "of Gaul"
2. **liberalium cultura litterarum** — "the writing of Literature"
3. **inprobae** — *improbae*, modifies *res*, as does *rectae*; **desaeviret** — "rages"
7–8. **peritus...grammaticus** — "skilled in the art of setting things down properly"
8–9. **aut stilo prosaico aut metrico versu** — "in prose or verse"

10   studium litterarum a nobis, nec repperitur in populis, qui gesta
praesencia promulgare possit in paginis!" Ista etenim atque et his
similia iugiter intuens, dixi pro commemoracione praeteritorum,
ut noticiam adtingerent venientium; etsi incultu effatu, nequivi
tamen obtegere vel certamena flagiciosorum recte viventium; et
15   praesertim his inlicitus stimulis, quod a nostris fari plerumque
miratus sum, quia philosophantem rhetorem intellegunt pauci,
loquentem rusticum multi.

B. Preface to Book I

his is a second preface that appears at the beginning of Book I. Here is his
rather naive declaration that he is an orthodox Catholic.

Scribturus bella regum cum gentibus adversis, martyrum cum
paganis, eclesiarum cum hereticis, prius fidem meam proferre
cupio, ut qui legerit me non dubitet esse catholicum. Illud etiam
placuit propter eos qui adpropinquantem finem mundi disperant,
5   ut, collecta per chronicas vel historias anteriorum summa explan-
etur aperte quanti ab exordio mundi sint anni. Sed prius veniam

---

10–11. **nec repperiri...possit** — "nor can anyone be found"
11. **praesencia** — "present"
11–12 **ista... et...similia** — "these and similar comments": accusative plural
12. **iugiter** — "constantly"
    dixi pro commemoratione — "I have written to keep past events in remem-
brance"
13. **esti incultu effatu** — "even though my style is uncouth"
14. **certamena...viventium** — "the struggles of the wicked against the righteous"
15. **his inlicitus stimulis** — "encouraged by those incentives"
16. **philosophantem rhetorem** — "a philosophical rhetorician"
17. **loquentem rusticum** "rustic speech"

  1. **scribturus** — *scripturus:* future participle in apposition to the subject of *cupio*
    adversis — "hostile"
3–4. **illud placuit** — "it is desirable"
  5. **collecta...summa anteriorum** — "the summary of the past gathered"

legentibus praecor, si aut in litteris aut in syllabis grammaticam artem excessero, de qua adpaene non sum inbutus; illud tantum studens, ut quod in eclesia credi praedicatur sine aliquo fuco aut
10   cordis haesitatione reteneam, quia scio peccatis obnoxium per credulitatem puram obtinere posse veniam apud Deum.

---

8. **excessero** — "I offend against," depart from," with the accusative
   adpaene — should be *adplene,* "completely"
   inbutus — "instructed"; **illud tantum studens** — "I only wish"
9. **credi** — "is believed"
10. **obnoxium** — "a person prone to" (with dative)
11. **credulitatem** — "faith"

The Seventh and Eighth Centuries

The seventh century saw the rise of Islam in the East, a reality that allowed the Latin West to develop without imperial interference from Constantinople.

The churches of Spain, Ireland and England at the geographical extremes of Europe were instrumental in preserving much of the knowledge of antiquity and produced workmanlike Latin prose and poetry. Isidore of Seville sought to promote Christian orthodoxy while not losing touch with the roots of Roman antiquity. The Irish monks, too, loved learning, and preserved many of the classics in the scriptoria of their monasteries often more for the sake of penance than for the learning itself. The full Christianization of Ireland and Britain began to have an impact on the mainland as wandering Irish monks began to found monasteries in France, Germany, Switzerland and Italy. English monks also began to Christianize Germany and the Synod of Whitby in 664 decided against the Irish in favor of Roman liturgical practices.

The eighth century saw the conquest of Spain by the Moslems and the stopping of Islamic advance into western Europe at the Battle of Tours (732). In this century, learning in Britain developed rapidly and was to nourish the Carolingian Renaissance. The eighth century saw the rise of the Carolingian dynasty, first under Pepin and then under Charles the Great (Charlemagne). To accomplish this "renaissance" Charles attracted learned men from Europe, including Alcuin from England, Theodulph from Spain, and Paulinus from Italy.

Academic discipline became standardized and improved. Literacy was also made a requirement for the priesthood. During his rule, the Carolingian miniscule developed and became the standard writing style, which was the basis of "lower case" printing.

Pope Gregory I (The Great)
(540–604)

Gregory the Great was born of a patrician Roman family. He was a monk and spent some time in the imperial court in Constantinople. His papacy (590–604) reaffirmed the primacy of the Roman See and, under his direction, attention was turned to the barbarian West. Visigothic Spain was converted from Arian to Orthodox Christianity and Augustine (not the saint of the Confessions) was sent to England for his successful mission of conversion. During his reign, the papacy stepped into a power vacuum created by the destruction of the Ostrogothic Kingdom of Italy, the Lombard invasions and the inability of the Emperor's representative, the Exarch of Ravenna, to cope with the chaos. Under his papacy, Benedictine monasticism became the standard for the West.

The passage that follows is from his life of St. Benedict. The word order in places is difficult to follow, and the grammatical and rhetorical usage is very different from the Latin two centuries before.

A. From the Life of St. Benedict

Fuit vir vitae venerabilis, gratia Benedictus et nomine,
ab ipso suae pueritiae tempore cor gerens senile. Aetatem
quippe moribus transiens, nulli animum voluptati dedit sed
dum in hac terra adhuc esset, quo temporaliter libere uti
5   potuisset.

Qui, liberiori genere ex provincia Nursiae exortus, Romae
liberalibus litterarum studiis traditus fuerat. Sed cum in

---

1. **gratia** — "by grace," followed by a word play on the name Benedict
2. **senile** — "of an old man": "old" in the sense of "mature"
2–3. **Aetatem quippe moribus transiens** — "living a virtuous life"
4. **temporaliter** — "in a wordly way"
6. **liberiori** — "noble"

eis multos ire per abrupta vitiorum cerneret, eum quem quasi
in ingressu mundi posuerat, retraxit pedem ne, si quid de
10 scientia eius attingeret, ipse quoque postmodum in inmane
praecipitum totus iret. Despectis itaque litterarum studiis,
relicta domo rebusque patris, soli Deo placere desiderans,
sanctae conversationis habitum quaesivit. Recessit igitur
scienter nescius, et sapienter indoctus.

B. Pastoral Care

he Regula Pastoralis, called "Pastoral Care" from the opening words
"Pastoralis Curae me pondera," was one of the most influential works of the
early middle ages. The work was written partly because of Gregory's
unwillingness to become Bishop of Rome, and became tremendously influential in
forming and reforming the Medieval Church, especially during Carolingian times. It
was also translated into Old English by Alfred the Great. The first two books show
what the character of a pastor should be. The third book is devoted to how to coun-
sel and preach.

Pars Tertia

Qualiter rector bene vivens debeat docere et admonere subditos.

PROLOGUS

Quia igitur, qualis esse debeat pastor, ostendimus, nunc qualiter
doceat, demonstremus. Ut enim longe ante nos reverendae
memoriae Gregorius Nazianzenus edocuit, non una eademque
cunctis exhortatio congruit, quia nec cunctos par morum qualitas
5   adstringit. Saepe namque aliis officiunt, quae aliis prosunt, quia

---

8. **eis** — refers to *studiis;* **per abrupta** — "through the dangerous ways"; **eum** —
refers to *pedem*
9–10. **de scientia** — instead of genitive after *si quid*
11. **praecipitum** — "fall," "headlong plunge"
13. **sanctae conversationis habitum** — "the habit (dress) of holy life"

5. **adstringit** — "bind, put under obligation"

et plerumque herbae, quae haec animalia nutriunt, alia occidunt, et lenis sibilus equos mitigat, catulos instigat. Et medicamentum, quod hunc morbum imminuit, alteri vires jungit, et panis, qui vitam fortium roborat, parvulorum necat. Pro qualitate igitur

10 audientium formari debet sermo doctorum, ut et ad sua singulis congruat, et tamen a communis aedificationis arte nunquam recedat. Quid enim sunt intentae mentes auditorum, nisi, ut ita dixerim, quaedam in cithara tensiones stratae chordarum, quas tangendi artifex, ut non sibimetipsi dissimile canticum faciat, dis-

15 similiter pulsat? Et idcirco chordae consonam modulationem reddunt: quia uno quidem plectro, sed non uno impulsu feriuntur. Unde et doctor quisque, ut in una cunctos virtute caritatis aedificet, ex una doctrina non una eademque exhortatione tangere corda audientium debet.

CAPUT I

Quanta debet esse diversitas in arte praedicationis.

20 Aliter namque admonendi sunt viri, atque aliter feminae. Aliter juvenes, aliter senes. Aliter inopes, aliter locupletes. Aliter laeti, aliter tristes. Aliter subditi, aliter praelati. Aliter servi, aliter domini. Aliter hujus mundi sapientes, aliter hebetes. Aliter impudentes, aliter verecundi. Aliter protervi, aliter pusillanimes. Aliter

25 impatientes, aliter patientes. Aliter benevoli, aliter invidi. Aliter simplices, aliter impuri. Aliter incolumes, aliter aegri. Aliter qui

---

8. **vires iungit** — "adds strength"
9. **pro qualitate** — "in accordance with the character"
10–11. **ad sua singulis congruat** — "so that it be suited to the needs of each one"
11. **aedificationis** — "of edification"
13. **tensiones stratae chordarum** — "stretched tension of strings"
14. **sibimetipsi** — "for himself"
   dissimile — "dissonant"
   dissimiliter — "in a different way"
16. **non uno impulsu** — "not with the same kind of stroke"
17. **aedificet** — "edify"
22. **praelati** — "privileged"
26. **simplices** — "sincere"; **incolumes** — "healthy"

flagella metuunt, et propterea innocenter vivunt; aliter qui sic in iniquitate duruerunt, ut neque per flagella corrigantur. Aliter nimis taciti, aliter multiloquio vacantes. Aliter pigri, aliter prae-
30 cipites. Aliter mansueti, aliter iracundi. Aliter humiles, aliter elati. Aliter pertinaces, aliter inconstantes. Aliter gulae dediti, aliter abstinentes. Aliter qui sua misericorditer tribuunt, aliter qui aliena rapere contendunt. Aliter qui nec aliena rapiunt, nec sua largiun-tur; aliter qui et ea, quae habent, tribuunt, et tamen aliena rapere
35 non desistunt.

C. From the Life of St. Gregory by a Monk of Whitby

This is the earliest source of this famous legend of St. Gregory, which also appears in Bede. The conjecture is that *The Life* was written at least a generation before Bede was writing.

Grammatically, it leaves much to be desired.

Est igitur narratio fidelium, ante predictum eius pontificatum Romam venisse quidam de nostra natione forma et crinibus candi-dati albis. Quos cum audisset venisse, iam dilexit vidisse eosque alme mentis intuitu ibi adscitos, recenti specie inconsueta supensus
5 et, quod maximum est, Deo intus admonente, cuius gentis fuissent,

---

29. **multiloquio vacantes** — "having time for too much talk"
33. **rapere** — "to steal"

1. **fidelium** — "of the faithful," *i.e.* believers
   pontificatum — "pontificate," *i.e.* his election to the papacy
2. **quidam** — subject of *venisse*
2–3. **forma...candidati** — "of light complexion"
3. **albis** — blond
4. **adscitos** — the sense is "impelled"
   recenti — "new"
   suspensus — "anxious," "puzzled"
5. **quod maximum est** — the sense of this is "especially"

inquisivit. Quos quidam pulchros fuisse pueros dicunt et quidam vero crispos iuvenes et decoros. Cumque responderent, Anguli dicuntur, illi de quibus sumus, ille dixit, Angeli Dei. Deinde dixit, Rex gentis illius, quomodo nominatur? Et dixerunt, "elli. Et ille
10   ait," "Aleluia. Laus enim Dei esse debet illic." Tribus quoque illius nomen de qua erant proprie requisivit. Et dixerunt, Deire. Et ille dixit, De ira Dei confugientes ad fidem.

D. Gregory the Great Plays the Angles from Bede's Ecclesiastical History

Nec silentio praetereunda opinio, quae de beato Gregorio traditione maiorum ad nos usque perlata est, qua uidelicet ex causa admonitus tam sedulam erga salutem nostrae gentis curam gesserit. Dicunt quia die quadam, cum aduenientibus nuper mer-
5   catoribus multa uenalia in forum fuissent conlata, multi ad emendum confluxissent, et ipsum Gregorium inter alios aduenisse, ac uidisse inter alia pueros uenales positos candidi corporis ac uenusti uultus, capillorum quoque forma egregia. Quos cum aspiceret, interrogauit, ut aiunt, de qua regione uel terra essent
10 adlati; dictumque est quia de Brittania insula, cuius incolae talis essent aspectus. Rursus interrogauit utrum idem insulani Christiani, an paganis adhuc erroribus essent inplicati. Dictum est

---

7. **Anguli** — "Angles"; *dicuntur* here is used as a copulative verb

11. **proprie** — "own." This adverb is used with the sense of an adjective modifying *tribus; Deire* or *Dere* was the name given to the tribe of Anglos that settled in Yorkshire.

12. **confugientes** — "they will flee." The idea is that while pagans they would be subject to God's wrath.

1. **opinio** — "report"

3. **admonitus** — "having been reminded"
   sedulam goes with *curam*

5. **venalia** — "for sale"

7. **venales positos** — "put up for sale"
   candidi corporis — "of fair complexion"

quod essent pagani. At ille, intimo ex corde longa trahens suspiria, 'Heu, pro dolor!' inquit 'quod tam lucidi uultus homines
15 tenebrarum auctor possidet, tantaque gratia frontispicii mentem
ab interna gratia uacuam gestat!' Rursus ergo interrogauit, quod
esset uocabulum gentis illius. Responsum est quod Angli uocarentur. At ille: 'Bene' inquit; 'nam et angelicam habent faciem, et
tales angelorum in caelis decet esse coheredes. Quod habet
20 nomen ipsa prouincia, de qua isti sunt adlati?' Responsum est quia
Deiri uocarentur idem prouinciales. At ille 'Bene' inquit 'Deiri,
de ira eruti et ad misericordiam Christi uocati. Rex prouinciae
illius quomodo appellatur? Responsum est quod Aelle diceretur.
At ille adludens ad nomen ait: 'Alleluia, laudem Dei Creatoris
25 illis in partibus oportet cantari.' Accedensque ad pontificem
Romanae et apostolicae sedis (nondum enim erat ipse pontifex
factus) rogauit ut genti Anglorum in Brittaniam aliquos uerbi
ministros, per quos ad Christum conuerteretur, mitteret; se ipsum
paratum esse in hoc opus Domino cooperante perficiendum, si
30 tamen apostolico papae hoc ut fieret placeret.

---

14. **Heu pro dolor** — "Alas, what a pity"
15. **tenebrarum auctor** — "the father of darkness," the devil
    frontispicii — "of countenance"
16. **ab interna gratia** — "devoid of inward grace"
22. **Christi** goes with both *de ira* and *ad misericordiam*
27–28. **verbi ministros** — "ministers of the word," *i.e.* missionaries

Venantius Fortunatus
(540–600)

Venantius Fortunatus is a transitional figure in Latin poetry. His poetic work wavers between quantitative and stressed verse. He was born in Treviso near Venice and educated at Ravenna. After being cured of an eye disease through miraculous interposition, he became a priest and later Bishop of Poitiers. His surviving verse is both religious and secular. Among his works are poems to Queen Radegund, wife of the Merovingian King Lothar, and a verse biography of Martin of Tours. The "Pange lingua" is sung during the adoration of the cross on Good Friday. The hymn tells of the life and passion of Jesus. It was originally composed to commemorate the gift of a piece of the true cross from the Byzantine emperor Justin II. Some of the lore in this hymn shows up in the fresco cycle of Piero della Francesca in Arezzo.

A.

The metre of this hymn is the trochaic tetrameter catalectic — again a cadence suitable for marching. The hymn was revised for the breviary after the Council of Trent. The opening words and metre were used by Thomas Aquinas in his hymn on the Eucharist.

> Pange, lingua, gloriosi proelium certaminis,
> Et super crucis tropaeo dic triumphum nobilem,
> 3   Qualiter redemptor orbis immolatus vicerit.

---

1. **Pange** — "sing"; **lingua** — vocative
2. **super** — used here instead of *de;* **tropaeo** — "trophy," "victory," sign or token of victory. The *trophaeum* in antiquity was a tree trunk hung with weapons and spoils taken from the enemy.
3. **qualiter** — "how"

De parentis protoplasti fraude factor condolens,
5   Quando pomi noxialis morte morsu corruit,
Ipse lignum tunc notavit, damna ligni ut solveret

Hoc opus nostrae salutis ordo depoposcerat,
Multiformis perditoris arte ut artem falleret
Et medelam ferret inde hostis unde laeserat.

10   Quando venit ergo sacri plenitudo temporis,
Missus est ab arce patris natus, orbis conditor,
Atque ventre virginali carne factus prodiit.

Vagit infans inter arta conditus praesepia,
Membra pannis involuta virgo mater alligat,
15   Et pedes manusque crura stricta cingit fascia.

Lustra sex qui jam peracta tempus implens corporis
Se volente, natus ad hoc, passioni deditus
Agnus in crucis levatur immolandus stipite.

---

4. **protoplasti** — "of the first-formed"; **factor** — "the Creator"; **fraus** — "infidelity"
5. **morte corruit** — "he (the first parent) fell headlong in death." The idea is that the wood of the cross would undo the damage of the fruit (apple) tree.
6. **notavit** — "chose"
7. **depoposcerat** — from *deposco*
8. **multiformis** — Satan appeared in many forms; he appeared as a serpent in Genesis and as a fallen angel in Revelation, etc. (The word order for the purpose of translating is: *ut fallerit artem multiformis perditoris arte.* The subject is God.)
9. **medelam** — "remedy"; **unde** — "by which." *Inde...unde* are correlatives.
10. **plenitudo** — "fullness." In Galatians 4:4, Paul speaks of Jesus being born when the "fullness of time" had come.
15. "and tight bands bind his hands, feet and legs"
16. **lustrum** — a period of five years; *sex lustra* is thirty years. The "public life" of Jesus was traditionally thought to have begun when he was thirty.
    Tempus implens corporis — "completing the span of his life"
17. **Se volente** — "of his own free will," an ablative absolute
18. **Agnus** — the image of Jesus as the "lamb of God" was promoted by John the Baptist

Hic acetum, fel, arundo, sputa, clavi, lancea;
20   Mite corpus perforatur; sanguis, unda profluit,
Terra, pontus, astra, mundus quo lavantur flumine.

Crux fidelis, inter omnes arbor una nobilis,
Nulla talem silva profert flore, fronde, germine
Dulce lignum dulce clavo dulce pondus sustinens.

25   Flecte ramos, arbor alta, tensa laxa viscera,
Et rigor lentescat ille quem dedit nativitas,
Ut superni membra regis mite tendas stipite.

Sola digna tu fuisti ferre pretium saeculi,
Atque portum praeparare nauta mundo naufrago
30   Quem sacer cruor perunxit fusus agni corpore.

---

19. **arundo** — *harundo*
19–21. These lines mention the instruments of the Passion; cf. Luke 22–3.
20. **unda** — water; the conjunction is omitted (asyndeton) after *sanguis*
23. **fronde, flore, germine** — ablatives of respect
24. **clavo** — singular for plural; *dulce* here is ablative
25. **tensa laxa viscera** — "relax your tense fibres"
27. **tendas** — here the word implies support
28. **pretium** — "ransom"
29. **nauta** — "as a sailor"
30. **fusus** — "poured forth": modifies *cruor*

B.

 he friendship of Fortunatus with Queen Radegund is well known. She had renounced the crown to establish a convent of holy women. What follows are short poems written in the elegiac metre.

1. A Gift of Chestnuts

Ista meis manibus fiscella est vimine texta,
Credite mi, chara mater et alma soror.
Et quae rura ferunt, haec rustica dona ministro,
Castaneas molles, quas dedit arbor agris.

2. On the Receipt of Radegund's Poems

In brevibus tabulis mihi carmina magna dedisti,
quae vacuis ceris reddere mella potes;
multiplices epulas per gaudia festa ministras;
sed mihi plus avido sunt tua verba cibus:
5   versiculos mittis placido sermone refectos,
in quorum dictis pectora nostra ligas.
omnia sufficiunt aliis quae dulcia tractas,
at mihi sinceros det tua lingua favos.
supplico me recolas inter pia verba sororum;
10   verius ut metrem te mea vota probent;
omnibus et reliquis te commendante reformer,
ut per vos merear quod mea causa rogat.

---

1. **fiscella** — "basket" — In monasteries, the weaving of mats and baskets were regular occupations "to keep the hands out of mischief."
3. He omits the verb, the sense of which is "receive," "accept."

4. **plus avidos** — "more than hungry"
7. **sufficiunt aliis** — "satisfy the others," "lay the foundation for the others"
8. **sinceros...favos** — pure honey (*i.e.* without wax)
11. **omnibus reliquis** — "in all remaining ways"
    te commendante — "under your protection"

<h1 style="text-align:right">Isidore of Seville</h1>
(560–636)

Despite the importance of Isidore of Seville in the Middle Ages, not much is known about his life. He was a prolific writer known for his sanctity and orthodoxy. The tone and scope of his works indicate that he was anxious to preserve the culture of the classical world in a form that would be palatable and understandable to the barbarian west.

His most famous work, an encyclopedia called The *Etymologies* or *Origines,* was based on the belief that once one knew the origin of a word, one could understand its essence, a concept not wholly alien to some schools of twentieth-century philosophy.

During the Age of Reason it was customary to dismiss Isidore by citing some of the more fanciful examples of his works, even though his work is basically sound and was considered useful enough to be probably the most widely used textbook of the era.

A. De Nocte

De Nocte is among the more imaginative and questionable of the *Etymologies*.

De Nocte. Nox a nocendo dicta, eo quod oculis noceat. Quae idcirco lunae ac siderum lucem habet, ne indecora esset, et ut consolaretur omnes nocte operantes, et ut quibusdam animantibus, quae lucem solis ferre non possunt, ad sufficientiam tem
5   peraretur. Noctis autem et diei alternatio propter vicissitudinem dormiendi vigilandique effecta est, et ut operis diurni laborem noctis requies temperet. Noctem autem fieri, aut quia longo

---

1. **eo quod** — "because"
4. **ad sufficientiam** — "sufficiently"

itinere lassatur sol, et cum ad ultimum caeli spatium pervenit,
elanguescit ac tabefactus efflat ignes; aut quia eadem vi sub ter-
10   ras cogitur qua super terras pertulit lumen, et sic umbra terrae
noctem facit.

B. De Regibus

 sidore constantly uses plays on the word rex, regere. In this passage you must
frequently supply forms of the verb "to be."

Reges a regendo vocati. Sicut enim sacerdos a sacrificando ita et
rex a regendo. Non autem regit, qui non corrigit. Recte igitur
faciendo regis nomen tenetur, peccando amittitur. Unde et apud
veteres tale erat proverbium: "Rex eris, si recte facias: si non
5   facias, non eris." Regiae virtutes praecipuae duae: iustitia et
pietas. Plus autem in regibus laudatur pietas; nam iustitia per se
severa est. Consules appellati a consulendo, sicut reges a regendo, sicut leges a legendo. Nam cum Romani regum superbam
dominationem non ferrent, annua imperia binosque consules sibi
10   fecerunt. Nam fastum regium non benevolentia consulentis, sed
superbia dominantis erat. Hinc igitur consules appellati, vel a
consulendo civibus, vel a regendo cuncta consilio.

Caesarum nomen a Iulio coepit, qui bello civili commoto primus
Romanorum singularem optinuit principatum. Caesar autem dic-
15   tus, quod caeso mortuae matris utero prolatus eductusque fuerit,
vel quia cum caesarie natus sit. A quo et imperatores sequentes
Caesares dicti.

---

9. **tabefactus** — "melted," "dissolved"

3–4. **apud veteres** — "in old writings"
14. **optinuit** — from *obtineo*
15. **caeso** — "cut open" (surgical incision). Caesarian (C- section) is also named
from Caesar.

Qui enim execto utero eximebantur, Caesones et Caesares
appellabantur. Iulius autem dictus, quia ab Iulo Aeneae filio orig-
20   inem duxit, ut confirmat Vergilius (Aen. I, 288):

"Iulius, a magno demissum nomen Iulo."

C. Praise of Christian Poets

This poem ascribed to Isidore is one of the verses inscribed on the walls of
the Bishop's palace in Seville. They reflected an attitude that helped to give
him a bad reputation in post-Renaissance Europe. Except for Prudentius,
the Christian poets, though occasionally interesting, are not very good. The poem is written in the elegiac metre.

Si Maro, si Flaccus, si Naso et Persius horret.
Lucanus si te Papiniusque taedet,
Pareat eximio dulcis Prudentius ore,
Carminibus variis nobilis ille satis;
5   Perlege facundi studiosum carmen Aviti;
Ecce Iuvencus adest Seduliusque tibi,
Ambo lingua pares, florentes versibus ambo,
Fonte evangelico pocula larga ferunt.
Desine gentilibus ergo inservire poetis:
10   Dum bona tanta potes, quid tibi Calliopen?

---

18. **execto** from **exseco,** "cut away," "remove"
   Caesones — Caeso (Kaeso), another prominent Roman gens

1. **Maro** — Vergil; **Flaccus** — Horace; **Naso** — Ovid
2. **Papinius** — Statius, a silver Age poet like Persius and Lucan
3. **pareat** — "Let...be at hand, appear"
5. **Aviti** — Avitus of Viennes (ca. 450–525) bishop and author of Biblical epics
6. **Iuvencus** (fourth century) wrote an epic on the four gospels. **Sedulius,** a Christian
   poet of the fourth century, who wrote the lengthy poem, "*Carmen Paschale.*"
7. **lingua** — "in language"
8. **evangelico** — evangelical, "from the gospels"
10. **potes** — the sense is "possess"
   Calliopen — vocative (she was the muse of [Epic] poetry)

D. Chronicon: Sexta aetas saeculi

he Chronicon is an annalistic history of the world from the beginning of creation until the time of Isidore. He divides history into six ages which corre-
spond to six days of creation. Bede borrowed quite extensively from this
work in his influential treatise, "De temporibus Liber." This section covers world history from the reign of Augustus, 31 B.C.E., to the death of Nero in C.E. 68, or ninety-
nine years. The Latin is quite easy and direct.

> Octavius Augustus regnat annis LVI. Iste in imperio, post
> Siculum bellum, triumphos tres egit: Dalmaticum, Asiaticum,
> postremo Alexandrinum adversus Antonium, inde Hispanum:
> deinde, terra marique pace toto orbe parta, Jani portas clausit. Sub
> 5   cujus imperio septuaginta hebdomadae in Daniele scriptae com-
> plentur, et cessante regno et sacerdotio Judaeorum, Dominus
> Jesus Christus in Bethleem Judae ex Virgine nascitur, anno XLII
> eius regni.
>
> Tiberius, filius Augusti, regnat annis XXII. Iste, dum per cupidi-
> 10   tatem reges ad se venientes non remitteret, multae gentes a
> Romano imperio recesserunt. Hujus decimo octavo regni anno
> Dominus crucifixus est, annis peractis a principio mundi quin-
> quies mille ducenti viginti novem.
>
> Caius Caligula regnat annis IV. Hic avaritia, crudelitate et luxuria
> 15   saevus fuit, atque in deos se transferens, in templo
> Jerosolymorum statuam Jovis Olympii sub nomine suo poni jus-
> sit. Per idem tempus Matthaeus apostolus evangelium primus in
> Judaea scripsit.

---

1. See note on chronology in **Orosius,** above.
2. **triumphos tres egit** — "celebrated three triumphs"
4. **Jani portas** — When there was peace the gates of the Temple of Janus were
   closed.
5. **hebdomodae in Daniele** — The "seventy weeks," which were thought to be
   prophecies predicting the coming of the Christ in Daniel 9: 24–27.
6. **cessante regno et sacerdotio Judaeorum** — "with the kingdom and priesthood
   of the Jews coming to an end"

20

25

30

Claudius regnat annis XIV. Eo regnante, Petrus apostolus. contra Simonem Magum Romam pergit. Marcus quoque evangelista Alexandriae Christum praedicans, Evangelium scripsit. Nero regnat annis XIV. Hic injuriae, crudelitati et luxuriae deditus, retibus aureis piscabatur. Matrem et sororem prostituit et interfecit, senatum multum exstinxit: multas reipublicae provincias et urbes amisit; urbem quoque Romam incendit ut Trojani excidii imaginem spectaret. Hujus temporibus Simon Magus, cum altercationem proposuisset cum Petro et Paulo apostolis, dicens se quamdam virtutem esse Dei magnam, medio die, dum ad patrem volare promittit in coelum, a daemonibus, a quibus in aere ferebatur, adjurante eos Petro, per Deum, Paulo vero orante, dimissus crepuit. Ob cujus necem a Nerone Petrus crucifigitur, Paulus gladio caeditur. Illa tempestate Persius poeta moritur. Lucanus quoque ac Seneca praecepto Neronis interficiuntur.

---

20. **Simonem Magum** — Simon Magus, the magician who in Acts 8:8 offered the apostles money for their gift of healing. Simony, or the selling or purchase of church offices or objects, is named after him.

24. **senatum multum existinxit** — "he abolished much of the Senate"

25. **Trojani excidii** — "the destruction of Troy." The story of Nero's burning of Rome and has no real historical basis, but was widely believed and repeated by several historians.

26–27. **altercationem** — "contest"

28. **virtutem** — "strength"

30. **adjurante** — "praying against"

30–31. **dismissus crepuit** — "having been deserted (*a daemonibus*) he crashed"

33. **praecepto** — "by order"

The Voyage of St. Brendan

The Voyage of St. Brendan was a medieval bestseller, a devotional adventure story that could be interpreted allegorically as the journey of the soul to God. The number of manuscripts throughout Europe attests to its popularity. The date of composition is under dispute and ranges from the seventh to the tenth century. The Navigatio was considered by many to be the first sighting of the western hemisphere by Europeans, which encouraged the National Geographic Society to sponsor the "Brendan Voyage" by Tim Severin from Ireland to America .

Quadam die uiderunt insulam non longe a se. Cumque cepissent nauigare ad illam, subuenit illis prosper uentus in adiutorium, ut non laborarent plus quam uires sustinere possent. Cumque nauis stetisset in portu, precepit uir Dei omnes exire foras. Ipse autem
5 egressus est post illos. Cumque cepissent circuire insulam illam, uiderunt aquas largissimas manare ex diuersis fontibus plenas piscibus. Dixit autem sanctus Brendanus fratribus suis: "Faciamus hic opus divinum. Sacrificemus Deo immaculatam hostiam, quia hodie est Cena Domini." Et ibi manserunt usque in sabbatum
10 sanctum Pasche.

Perambulantes autem illam insulam, inuenerunt diuersos greges ouium unius coloris, id est albi, ita ut non possent ultra uidere terram pre multitudine ouium. Conuocatisque fratribus suis, sanctus Brendanus dixit illis: Accipite que sunt necessaria ad diem festum
15 de grege.Fratres uero festinabant secundum mandatum uiri Dei

---

2. **in adiutorium** — This is really quite superfluous since *subvenit* expresses the idea.
4. **vir Dei** — St. Brendan
5. **circuire** — another form of *circumire*
8. **opus divinum** — "The Divine Office" — see "A Note on the Structure of the Roman Church"
9. **Cena Domini** — Holy (Maundy) Thursday

ad gregem. Qui statim acceperunt de grege ouem unam. Et cum illam alligassent per cornua, sequebatur illa quasi domestica illum qui tenebat ligatura in manu sua, usque ad locum ubi stetit uir Dei. Iterum ait uir Dei uni ex fratribus: "Accipe agnum
20 immaculatum de grege." Qui festinauit et fecit sicut sibi iniunctum fuerat.

Cum illi parassent omnia ad opus crastini diei, ecce apparuit illis uir habens in manu sportam plenam panibus subcinericiis et cetera que necessaria erant. Cum hec posuisset ante uirum Dei,
25 cecidit pronus super faciem suam tribus vicibus ad pedes sancti patris, dicens: "Unde mihi meriti, o margarita Dei, ut pascaris in istis sanctis diebus de labore manuum mearum?" Sanctus Brendanus eleuato illo de terra et dato osculo dixit: "Fili, Dominus noster Jhesus Christus proponit nobis locum, ubi cele-
30 brare possimus sanctam suam resurrectionem." Cui ait predictus uir: "Pater, hic celebrabitis istud sabbatum sanctum. Vigilias uero et missas cras in illa insula quam uos uidetis proposuit uobis Deus celebrare sue resurrectionis."

Dum hec dixisset, cepit obsequium famulorum Dei et omnia que
35 necessaria erant in crastinum preparare. Finitis omnibus et allatis naui, dixit ad sanctum Brendanum predictus uir: "Vestra nauicula non potest amplius portare. Ego uobis transmittam post octo

---

17. **per cornua** — "by the horns"
   quasi domestica — "as a domestic animal"
18. **ligatura** — "cord," "binding"
22. **ad opus** — "for the work," *i.e.* liturgy
23. **panibus subcinericiis** — "bread baked in ashes"
25. **tribus vicibus** — "three times"
26. **Unde mihi meriti** — "How have I deserved?"
33. **sue resurrectionis** — the genitive after *Vigilias* and *missas* may have been only a marginal note on the manuscript, but is included in the full text edited by Selmer.
34. **cepit obsequium** — "performed service" (with genitive) "waited on"
35. **in crastinum** — "for the next day"

dies que uobis necessaria sunt de cibo et potu usque in Pentecosten." Sanctus Brendanus dixit: "Vnde tu nosti ubi erimus
40 post octo dies?" Qui ait: "Hac nocte eritis in illa insula quam uidetis prope, et cras usque in sextam horam. Postea nauigabitis ad aliam insulam, que est non longe ab ista insula contra occidentalem plagam, que uocatur paradysus auium. Ibique manebitis usque in octavas Pentecostes." Interrogabat quoque sanctus
45 Brendanus illum quomodo potuissent oues esse tam magne, sicut ibi uise sunt. Erant enim maiores quam boues. Cui ille dixit: "Nemo colligit lac de ouibus in hac insula, nec hiemps distringit illas, sed pascuis semper commorantur die noctuque. Ideo maiores sunt hic quam in uestris regionibus." Profectique sunt ad
50 nauim et ceperunt nauigare data benedictione uicissim.

38–39. **usque in Pentecosten** — "until Pentecost" — (fifty days after Easter)

42–43. **contra occidentalem plagam** — "in a westerly direction"

43. **paradysus avium** — "the paradise of Birds"

44. **"usque in octavas Pentecostes"** — until the octave of Pentecost (the following Sunday)

47. **distringit** — "punish," *i.e.* "make them thin"

48. **noctu** — "by night": ablative, but an unusual form

From the Lives
of the Saints of Ireland

The lives of the Irish Saints were collected by Charles Plummer at the beginning of this century. The lives that he edited evolved gradually and were part of a long and interesting tradition. There are elements of folklore and animal stories in the pagan Celtic tradition. The excerpt here is from the Life of St. Kieran, one of the Irish Saints before and during the ministry of St. Patrick.

Vita Sancti Ciarani de Saigir

Cum illuc sanctus Kyaranus peruenisset, primitus sedebat ibi sub quadam arbore, sub cuius vmbra aper ferocissimus fuit. Videns aper primo hominem, perterritus fugit, et iterum mitis factus a Deo, reuersus est quasi famulus ad virum Dei; et ille aper primus
5 discipulus quasi monachus sancti Kyarani in illo loco fuit. Ipse enim aper statim in conspectu viri Dei virgas et fenum ad materiam cellule construende dentibus suis fortiter abscidit. Nemo enim cum sancto Dei adhuc ibi erat; quia solus a discipulis suis ad illum heremum euasit. Deinde alia animalia de cubilibus heremi
10 ad sanctum Kyaranum uenerunt, id est vvlpis, et broccus, et lupus, et cerua; et manserunt mitissima apud eum. Obediebant enim secundum iussionem sancti viri in omnibus quasi monachi.

Alia quoque die vulpis, qui erat callidior et dolosior ceteris animalibus, fycones abbatis sui, sancti id est Kyarani, furatus est, et

---

1. **illuc** — Saigir, the place in Ireland where Kieran built his monastery
   Kyaranus — Kieran
9. **heremum** — "hermitage," "desert"
10. **broccus** — "badger"
14. **fycones** — "shoes"

15   deserens propositum suum, duxit ad pristinum habitaculum suum
      in heremo, uolens illas ibi comedere. Hoc sciens sanctus pater
      Kyaranus alium monachum uel discipulum, id est broccum, post
      vulpem in heremum misit ut fratrem ad locum suum reduceret.
      Broccus autem, cum esset peritus in siluis, ad uerbum senioris sui
20   ilico obediens perrexit, et recto itinere ad speluncam fratris vulpis
      peruenit. Et inueniens eum uolentem fycones domini sui
      comedere, duas aures eius et caudam abscidit, et pilos eius carp-
      sit, et coegit eum secum uenire ad monasterium suum, ut ageret
      ibi penitentiam pro furto suo. Et vulpis necessitate compulsus,
25   simul et broccus, cum sanis fyconibus hora nona ad cellam suam
      ad sanctum Kyaranum venerunt. Et ait uir sanctus ad vvlpem:
      'Quare hoc malum fecisti, frater, quod non decet monachos
      agere? Ecce aqua nostra dulcis est et communis, et cibus similiter
      communiter omnibus partitur. Et si uoluisses comedere carnem
30   pro natura, Deus omnipotens de corticibus arborum pro nobis tibi
      fecisset.' Tunc vulpis, petens indulgenciam, ieiunando egit peni-
      tentiam, et non comedit donec sibi a sancto viro iussum est.
      Deinde familiaris cum ceteris mansit.

      Postea sui discipuli et alii plures ad sanctum Kyaranum in ipso
35   loco conuenerunt vndique; et ibi inceptum est clarum monasterium.
      Set predicta animalia domestica in vita sua ibi erant, quia sanctus
      senior libenter ea videbat. Interea fides Christiana crescebat in
      Hybernia, quia alii tres sancti episcopi ante aduentum Patricii
      predicabant in ea.

---

15. **habitaculum** — "dwelling place"
25. **cum sanis fyconibus** — "with the shoes that were unharmed"
30. **pro natura** — "in accordance with your nature"

St. Adamnan
(624–704)

Adamnan, an Irishman born in Donegal, was the ninth abbot of Iona, a famous abbey off the west coast of Scotland. He wrote a Life of his relative, St. Columba (Colum Cille), which was modeled on Sulpicius Severus' Life of St. Martin, as a model for his monks. He also wrote a description of the Holy Land based on conversations with Bishop Arculf. This work was the basis for Bede's account of the Holy Places. He was successful in getting Irish monasteries to replace Celtic practices with those of Rome. He convinced one of the local Irish councils that women and children and clergy be protected during wars. This is known as "Adamnan's Law."

I. De Situ Hierusalem

De situ Hierusalem nunc quaedam scribenda sunt pauca ex his quae mihi sanctus dictauit Arculfus; ea uero quae in aliorum libris de eiusdem ciuitatis positione repperiuntur a nobis pretermittenda sunt.

5　In cuius magno murorum ambitu idem Arculfus lxxxiiii numerauit turres et portas bis ternas, quarum per circuitum ciuitatis ordo sic ponitur.

Porta Dauid ad occidentalem montis Sion partem prima numeratur. Secunda porta uillae fullonis. Tertia porta sancti Stephani. 10　Quarta porta Beniamin. Quinta portula, hoc est paruula porta; ab hac per grados ad uallem Iosafat discenditur. Sexta porta Tecuitis.

---

1. **Hierusalem** — genitive
6. **bis ternas** — "six"
9. **fullonis** — "of the fuller" (one who prepares cloth for processing)
11. **Tecuitis** — "of Tekoa"

Hic itaque ordo per earundem portarum et turrium intercapidines a porta Dauid supra memorata per circuitum septemtrionem uersus et exinde ad orientem dirigitur.

15 Sed quamlibet sex portae in muris numerentur celebriores tamen ex eis (tres) portarum introitus frequentantur, unus ab occidentali, alter a septemtrionali, tertius ab orientali parte.

Ea uero pars murorum cum interpositis turribus quae a supra descripta Dauid porta per aquilonale montis Sion supercilium,
20 quod a meridie supereminet ciuitati, usque ad eam eiusdem montis frontem dirigitur quae praerupta rupe orientalem respicit plagam nullas habere portas conprobatur.

Sed et hoc etiam non esse praetereundum uidetur quod nobis sanctus Arculfus de huius ciuitatis in Christo honorificantia profatus
25 narrauit inquiens.

Diuersarum gentium undique prope innumera multitudo duodecimo die mensis Septembris anniuersario more in Hierusolimis conuenire solet ad commercia mutuis uenditionibus et emtionibus peragenda.

30 Vnde fieri necesse est ut per aliquot dies in eadem hospita ciuitate diuersorum hospitentur turbae populorum; quorum plurima camelorum et equorum asinorumque numerositas nec non et boum masculorum, diuersarum uectores rerum, per illas politanas plateas stercorum abhominationes propriorum passim sternit,

---

16. **frequentantur** — "are in common use"
18. **cum interpositis turribus** — "with towers at intervals"
20. **supereminet ciuitate** — "dominates the city"
24. **honorificantia** — "particular (special) honor"
25. **inquiens** — present participle of *inquit*
27. **anniuersario more** — "according to an annual custom"
29–30. **ad commercia...peragenda** — "to do business"
31. **hospitentur** — "are lodged"
33–34. **politanas plateas** — "streets of the city"
34. **abhominationes propriorum** — "the detestable fact of their excrement"
   sternit — the subject is *numerositas* in line 32

35 quorum nidor herentum non mediocriter ciuibus inuehit molestiam,
quae et ambulandi inpeditionem praebent.

Mirum dictu, post diem supra memoratarum recessionis cum
diuersis turmarum iumentis nocte subsequente inmensa plu-
uiarum copia de nubibus effusa super eandem discendit ciui-
40 tatem, quae totas abstergens abhominabiles de plateis sordes
ablutam ab inmunditiis fieri facit eam.

Nam Hierusolimitanus ipse situs a supercilio aquilonali montis
Sion incipiens ita est molli a conditore Deo dispositus cliuo usque
ad humiliora aquilonalium orientaliumque murorum loca ut illa
45 pluuialis exuberantia modo nulla in plateis stagnantium aquarum
in similitudinem supersedere possit sed instar fluuiorum de supe-
rioribus ad inferiora decurrat.

Quae scilicet caelestium aquarum inundatio per orientales
influiens portas et omnia secum stercuralia auferens abhomina-
50 menta uallem Iosaphat intrans torrentem Cedron auget, et post
talem Hierusolimitanam baptizationem continuatim eadem pluuialis exuberatio cessat.

---

35. **quorum nidor herentum** — "whose clinging stench"
37–38. **post diem... nocte subsequente** — "on the night following the day..."
43. **molli...cliuo** — "on a gentle slope"

St. Bede (The Venerable)
(672/3–735)

The Venerable Bede was one of the most important intellects of the early middle ages. He lived most of his life near Jarrow, entering the monastery there at an early age. He wrote an enormous volume of works, most of which were used as textbooks in the monastic and cathedral schools. As a biblical scholar and interpreter, he was held in the highest esteem. He is known largely for the *Ecclesiastical History of the English People,* an exemplary work of history that is both charming and accurate.

A. The Poet Caedmon

In huius monasterio abbatissae fuit frater quidam divina gratia specialiter insignis, quia carmina religioni et pietati apta facere solebat; ita ut, quicquid ex divinis litteris per interpretes disceret, hoc ipse post pusillum verbis poeticis maxima suavitate et con-
5 punctione conpositis, in sua, id est Anglorum, lingua proferret. Cuius carminibus multorum saepe animi ad contemtum saeculi et appetitum sunt vitae caelestis accensi. Et quidem et alii post illum

---

Since rules of spelling had not been firmly established (Bede, himself, wrote a work on spelling), I have altered some of the words so they can be found easily in the dictionary.

1. **abbatissae** — of the Abbess, St. Hilda, who was in charge of the famous double monastery of Whitby.
2. **apta** — "appropriate," "suitable"; **pietati** — here the sense is "for devotion"
3. **ex divinis litteris** — "from sacred scripture"
4. **post pusillum** — "after a very short time"
4–5. **conpunctione** — "devotion": ablative of description
5. **id est Anglorum** — "that is, English"
6. **ad contemtum saeculi** — "to reject the world"
7. **appetitum…vitae caelestis** — "to seek heavenly life": the supine in *-um* to express purpose; **sunt** goes with *accensi*

in gente Anglorum religiosa poemata facere temptabant; sed nullus eum aequiperare potuit. Namque ipse non ab hominibus, neque
10   per hominem institutus, canendi artem didicit, sed divinitus adiutus gratis canendi donum accepit. Unde nil umquam frivoli et supervacui poematis facere potuit, sed ea tantummodo quae ad religionem pertinent religiosam eius linguam decebant. Siquidem in habitu saeculari usque ad tempora provectioris
15   aetatis constitutus, nil carminum aliquando didicerat. Unde nonnumquam in convivio, cum esset laetitiae causa decretum ut omnes per ordinem cantare deberent, ille, ubi adpropinquare sibi citharam cernebat, surgebat a media cena, et egressus ad suam domum repedebat. Quod dum tempore quodam faceret, et relicta
20   domu convivii egressus esset ad stabula iumentorum, quorum ei custodia nocte illa erat delegata, ibique hora competenti membra dedisset sopori, adstitit ei quidam per somnium,eumque salutans ac suo appellans nomine. "Caedmon, inquit, "canta mihi aliquid." At ille respondens: Nescio," inquit, "cantare; nam et ideo de con-
25   vivio egressus huc secessi, quia cantare non poteram. Rursum ille qui cum eo loquebatur, "Attamen," ait, "mihi cantare habes." Quid," inquit, "debeo cantare?" Et ille, "Canta," inquit, "principium creaturarum." Quo accepto responso, statim ipse coepit cantare in laudem Dei conditoris versus, quos numquam audierat,

---

10. **institutus** — "instructed": in apposition to *didicit* (from *disco*)
    divinitus — adverb: "divinely"
11. **gratis** — same as English; **frivoli et supervacui** — the partitive genitive after *nil,* a construction often used by Bede. He also uses it with *quid* (48:9).
12. **poematis** — genitive from *poema*
14. **in habitu saeculari** — "in secular life"
14–15. **provectioris aetatis** — "of rather advanced age"
16. **laetitiae causa** — "for the sake of entertainment"
17. **per ordinem** — "in turn"
17–18. **ille...cernebat** — "when he saw the harp was coming near him"
19. **repedebat** — "he went back"
    quod — equivalent to a demonstrative: "this thing"
21. **hora competenti** — "at the appropriate hour"
22. **quidam** — subject of *adstitit*
24. **nescio** — "I don't know how"; **nam et ideo** — "it is for that reason"
26. **habes** — used to express obligation, "you have to," definitely not classical usage
28. **creaturarum** — "of creation"
    Quo accepto responso — "when he received this reply"
29. **audierat** — syncopated form for *audiverat*

30   quorum iste est sensus: "Nunc laudare debemus auctorem regni cae-
      lestis, potentiam Creatoris et consilium illius, facta Patris gloriae.
      Quomodo ille, cum sit aeternus Deus, omnium miraculorum auctor
      extitit, qui primo filiis hominum caelum pro culmine tecti, dehinc
      terram custos humani generis omnipotens creavit." Hic est sensus,
35   non autem ordo ipse verborum, quae dormiens ille canebat, neque
      enim possunt carmina, quamvis optime composita, ex alia in
      aliam linguam ad verbum sine detrimento sui decoris ac dignitatis
      transferri. Exsurgens autem a somno, cuncta quae dormiens can-
      taverat memoriter retinuit, et eis mox plura in eundem modum
40   verba Deo digni carminis adiunxit.

      Veniensque mane ad vilicum qui sibi praeerat, quid doni per-
      cepisset indicavit, atque ad abbatissam perductus, iussus est, multis
      doctioribus viris praesentibus, indicare somnium, et dicere carmen,
      ut universorum iudicio, quid vel unde esset quod referebat, pro-
45   baretur. Visumque est omnibus caelestem ei a Domino concessam
      esse gratiam. Exponebantque illi quendam sacrae historiae sive
      doctrinae sermonem, praecipientes eum, si posset, hunc in modu-
      lationem carminis transferre. At ille suscepto negotio abiit, et mane
      rediens, optimo carmine quod iubebatur conpositum reddidit.

---

31. **illius** — "his"; **facta** — "deeds"
33. **extitit** — fuit; **pro culmine** — "as a roof"
34. **custos...omnipotens** — "the Almighty Guardian"
37. **ad verbum** — "word for word"
38. **transferri** — "to be translated": render after *carmina possunt*
39. **memoriter** — adverb: "in his memory"
39–40. **plura...verba Deo digni carminis** — "more words of a hymn worthy of
      God"; **plura...verba dignis** — "worthy of": governs the ablative
41. **vilicum** — "overseer"; **quid doni** — "what gift"; *doni* is a partitive genitive
42–43. **Multis doctioribus viris praesentibus** — "in the presence of many of the
      more learned men"
44. **quid vel unde** — "what and whence, *i.e.* "the nature and origin"
45–46. the word order is *"caelestem gratiam* (grace) *concessam ei Domino"*
46. **exponebantque** — "they read (explained)"
46–47. **quendam...sermonem** — "a certain passage"
47. **praecipientes** — "instructing"; **modulationem** — "metrical form"

B. De Psalmo 83

This is an elegiac paraphrase of Psalm 83. Bede was also a poet of no mean merit. This is a fine elegy that is also a faithful paraphrase of the Psalm.

The word order is random, but each line contains a complete sentence or clause. Bede wrote a work, *De arte metrica,* which was a standard medieval textbook on prosody.

> Quam dilecta tui fulgent sacraria templi,
> atria cuius amor flagrat ad alma meus.
> Spiritus hoc meus, hoc ipsi laetantur et artus.
> viventem ut liceat mente videre Deum.
> 5 Dulce tua redolet quod dextera condidit altar,
> turicremo purgans crimina cuncta lare.
> Felices, habitant qui illius in aedibus aulae,
> laus in saecla pios qua tua perpes alit.
> Cerneris inque Sion castis, Deus alme deorum
> 10 celsa tuo Solymae moenia sole replens.
> Dulcior una dies caeli mihi fulget in aula
> quam millena soli florida saecla rosis.
> His mallem fieri licet ultimus incola castris
> Quam lati trabeis mundi et honore frui
> 15 Transit enim terrena, poli pax alma manebit,

---

1. **dilecta** — an adjective; **sacraria** — "sanctuaries"
2. **atria cuius...ad alma** — "for whose lovely courts"
3. **hoc** — "for this": *hoc* refers to *sacraria* and *atria*
4. **mente** — "soul"
5. **dulce...altar** — the subject of *redolet*
6. **turicremo** — "incense-burning"
8. **pios** — "the saints"; **in...qua** — "in which": refers to *aula*
9. **inque** — an unusual use of the enclitic *-que*
   Sion — indeclinable noun, here the genitive
   castis — a curious usage meaning "festivals"
10. **Solymae** — "Jerusalem"
12. **soli** — dative, "for me alone"
13. **licet** — almost a superfluous word. The sense is *mihi licet.*
    ultimus — note that *incola* is masculine
14. **trabeis** — "power": ablative after *frui*
15. **poli** — "of heaven"; **terrena** — "the earthly"

vera ubi vita pios Christus in axe beat.
Da modo, summe tui genitor, mihi lumina verbi,
lux iter et lampet nunc tua, Christe, meum,
Ut tenebris mundi tete lucente fugatis
20 Spiritus alta levet nos super astra tuus.

16. **in axe** — "in the heavens"
17. **modo** — "soon"
19. **tete lucente** — "as you are shining": ablative absolute; **fugatis** — with *tenebris,* another ablative absolute
20. A line reminiscent of Horace I, 1

St. Cuthbert
(ca. 634–687)

Cuthbert studied under Bede and later became abbot of Jarrow in the second half of the eighth century. This account of Bede's last days show him to have been a nice person, which may not always apply to saints.

Letter on the Death of Bede

Munusculum quod misisti multum libenter accepi, multumque gratanter litteras tuae deuotae eruditionis legi, in quibus quod maxime desiderabam, missas uidelicet et orationes sacrosanctas pro Deo dilecto patre ac nostro magistro Beda a uobis diligenter
5 celebrari repperi. Vnde delectat magis pro eius caritate quam fretus ingenio paucis sermonibus dicere quo ordine migrauerit e seculo, cum etiam hoc te desiderare et poposcere intellexi.

Grauatus est quidem infirmitate, et maxime creberrimi anhelitus, sed tamen paene sine aliquo dolore, ante diem autem resurrectionis
10 dominicae id est fere duabus ebdomadibus; et sic postea laetus ac gaudens gratiasque agens omnipotenti Deo omni die et nocte, immo horis omnibus usque ad diem ascensionis dominicae, id est septimo kalendas Iunii uitam ducebat, et nobis suis discipulis cotidie lectiones dabat, et quicquid reliquum fuit diei in
15 Psalmorum cantu prout potuit occupabat.

* *

Cum uenisset autem tertia feria ante ascensionem Domini, coepit

---

10. **duabus ebdomadibus** — "for two weeks"
13. **septimo kalendas Iunii** — May 26th
16. **tertia feria** — Tuesday

uehementius aegrotari in anhelitu, et modicus tumor in suis ped-
ibus apparuerat; totum tamen illum diem docebat et hilariter
dictabat, et nonnumquam inter alia dixit: 'Discite cum festina-
20 tione, quia "nescio quamdiu subsistam, et si post modicum tollat
me Factor meus."' Nobis tamen uidebatur, ne forte exitum suum
bene sciret. Et sic noctem in gratiarum actione peruigil duxit, et
mane inlucescente, id est quarta feria, praecepit diligenter scribi
quae coeperamus. Et hoc fecimus usque ad tertiam horam. A tertia
25 autem hora ambulauimus cum reliquiis sanctorum, ut consuetudo
illius diei poscebat. Et unus erat ex nobis cum illo, qui dixit illi:
'Adhuc capitulum unum de libro quem dictasti deest, et uidetur
mihi tibi difficile esse plus te interrogare.' At ille inquit: 'Facile
est. Accipe tuum calamum et tempera, festinanterque scribe.' Et
30 ille hoc fecit. A nona hora dixit mihi: 'Quaedam preciosa in mea
capsella habeo, id est piperum, oraria et incensa. Sed curre
uelociter, et adduc presbiteros nostri monasterii ad me, ut ego
munuscula, qualia mihi Deus donauit, illis distribuam.' Et hoc
cum tremore feci. Et praesentibus illis locutus est ad eos et
35 unumquemque, monens et obsecrans pro eo missas et orationes
diligenter facere. Et illi libenter spoponderunt. Lugebant autem et
flebant omnes, maxime autem in uerbo quod dixerat, quia existi-
maret quod faciem eius amplius non multo in hoc seculo essent
uisuri. Gaudebant autem de eo quod dixit: 'Tempus est, si sic
40 Factori meo uidetur, ut ad eum modo resolutus e carne ueniam,
qui me quando non eram ex nihilo formauit. Multum tempus uixi,
beneque mihi pius Iudex uitam meam praeuidit. Tempus uero
absolutionis meae prope est; etenim anima mea desiderat Regem
meum Christum in decore suo uidere.'

45 Sic et alia nonnulla utilitatis causa ad aedificationem nostram
locutus, diem ultimum in laetitia ad uesperam duxit. Et praefatus
puer, nomine Uilberht, adhuc dixit: 'Magister dilecte, restat
adhuc una sententia non descripta.' At ille inquit 'Scribe.' Et post

---

25. **cum reliquis sanctorum** — "with the relics of the saints"
29. **tempera** — "restrain yourself"
31. **capsella** — "cabinet"
   oraria — "napkins" or "vestments"
43. **absolutionis** — "of my release," "departure." The quote is from II Timothy 4:6.

modicum dixit puer: 'Modo descripta est.' At ille 'Bene' inquit;
50   'consummatum est, ueritatem dixisti. Accipe meum caput in
manus tuas, quia multum me delectat sedere ex aduerso loco
sancto meo, in qua orare solebam, ut et ego sedens Patrem meum
inuocare possim.' Et sic in pauimento suae casulae, decantans
'Gloria Patri et Filio et Spiritui sancto' et cetera, ultimum e cor-
55   pore spiritum exhalauit; atque sine dubio credendum est quod,
pro eo quia hic semper in Dei laudibus laborauerat, ad gaudia
desideriorum caelestium anima eius ab angelis portaretur. Omnes
autem qui audiere uel uidere obitum beati Bedae patris nostri,
numquam se uidisse alium in tam magna deuotione atque tran-
60   quillitate uitam suam finisse dicebant, quia, sicut audisti,
quousque anima eius in corpore fuit, 'Gloria Patri' et alia
quaedam ad gloriam Dei cecinit, et expansis manibus Deo gratias
agere non cessabat.

---

50. **consummatum est** — John 19:20, the last words of Jesus on the cross
51. **ex aduerso** — "opposite"
53. **casulae** — "of his cell"

The Ninth Century

On Christmas day of the year 800, Pope Leo III crowned Charles as the Roman Emperor. This was the beginning of an enduring political schizophrenia, with the spiritual power manifested in the papacy and the temporal power resting in the emperor, that was to affect the West deeply for more than seven centuries. The powers were nearly always in conflict, especially when it came to territory in Italy. The empire of Charles was of short duration and after the death of his son, Louis the Pious, the territory became the focus of many wars. The battle of Fontenoy in 841 determined the division of France, Germany and the middle territory subsequently called Lotharingia. The long term effects of the fragmentation of Charles' empire can be demonstrated by the fact that neither Germany nor Italy were united until the late nineteenth century.

The revival of learning spread throughout the empire and produced a number of scholars and writers of note including Einhard, Paul the Deacon and Hrabanus Maurus.

Alcuin
(735–804)

Alcuin was the prime agent of the Carolingian "renaissance." Born in England, he established a reputation for learning. Under Charlemagne, he presided over the Palace School, which exerted great influence on subsequent generations. Alcuin was not a great writer, but he was a great teacher whose influence was enormous.

A. Farewell to his Monastic Cell

O mea cella, mihi habitatio dulcis, amata,
semper in aeternum, o mea cella, vale.
Undique te cingit ramis resonantibus arbos,
silvula florigeris semper onusta comis.
5 Prata salutiferis florebunt omnia et herbis,
quas medici quaerit dextra salutis ope.
Flumina te cingunt florentibus undique ripis,
retia piscator qua sua tendit ovans.
Pomiferis redolent ramis tua claustra per hortos,
10 lilia cum rosulis candida mixta rubris.
Omne genus volucrum matutinas personat odas,
atque creatorem laudat in ore Deum.

---

1. **cella** — "monastic cell," vocative case
2. **in aeternum** — "forever"
3. **arbos** is the same as *arbor* and is the subject of *cingit*
4. **comis** — "with leaves"
6. **medici...dextra** — "the hand of the doctor" — subject of *quaerit*
   salutis ope — "in support of health" or "to cure the sick"
8. **qua** — "where"
9. **pomiferis...ramis** — "with apple trees" (apple-bearing boughs)
11. **odas** — "songs" (odes)
12. **ore** — refers back to *genus* (*volucrum*)

In te personuit quondam vox alma magistri,
quae sacro sophiae tradidit ore libros.
15   In te temporibus certis laus sancta
Tonantis pacificis sonuit vocibus atque animis.
Te, mea cella, modo lacrimosis plango camenis,
atque gemens casus pectore plango tuos,
tu subito quoniam fugisti carmina vatum,
20   atque ignota manus te modo tota tenet.
Te modo nec Flaccus nec vatis Homerus habebit,
nec pueri musas per tua tecta canunt.
Vertitur omne decus saecli sic namque repente,
omnia mutantur ordinibus variis.
25   Nil manet aeternum, nihil immutabile vere est,
obscurat sacrum nox tenebrosa diem.
Decutit et flores subito hiems frigida pulcros,
perturbat placidum et tristior aura mare.
Qua campis cervos agitabat sacra iuventus,
30   incumbit fessus nunc baculo senior.

---

13. **Te** refers to his cell.
    magistri — refers to Alcuin
14. **quae** — refers to *vox*; **sacro** — "devout"; **tradidit** — "hand down," "teach";
    sophiae — "of wisdom." *Sophia* is a Greek word.
15. **laus** is the subject of *sonuit*
16. **Tonantis** — "of the Thunderer" (the Almighty)
17–20. **modo** — "now." This word acquires a variety of unfamiliar meanings in
    Medieval Latin.
17. **camenis** — from *Camena*, a Muse, but by metonomy "a poem," "a song"
18. **casus...tuos** — "your misfortune"
21. **Flaccus** — Alcuin; **Homerus** — Angelbert, another member of the inner circle
    of intellectuals at the Court of Charlemagne. In their private exchanges some of
    them used biblical or classical names. Charlemagne was called David.
22. **per tua tecta** — "under your roof"
23. **namque** — an extra word, which does not add to the sense of the poem
    Saecli — "of the world"
24. **ordinibus variis** — "one after another"
26. **sacrum diem** — "a holy day"
27. **decutit** — "cuts down"
29. **qua** — this word is troublesome and could have been *quae*, the relative and
    adjective, by Alcuin's time equivalent to the definite article. It is most conve-
    niently translated with *sacra iuventus* — "dedicated youth."

Nos miseri, cur te fugitivum, mundus, amamus?
Tu fugis a nobis semper ubique ruens.
Tu fugiens fugias, Christum nos semper amemus,
semper amor teneat pectora nostra Dei.
35   Ille pios famulos diro defendat ab hoste,
ad caelum rapiens pectora nostra, suos;
pectore quem pariter toto laudemus, amemus;
nostra est ille pius gloria, vita, salus.

B. A Dialogue

Dialogues and their memorization were a form of teaching in the Middle Ages. This one is a dialogue between Pippin and Albinus, the teacher, and is quite charming in its naiveté. Its Latin title is "Disputatio regalis et nobilissimi iuvenis Pippini cum Albino scholastico."

This is fairly easy Latin and is often cited as an example of the naiveté of the age. Alcuin's writings were largely in dialogue form. This selection, however, may not actually have been written by Alcuin.

Pippinus: Quid est littera?—Albinus: Custos historiae. P. Quid est verbum? A. Proditor animi. P. Quis generat verbum? A. Lingua. P. Quid est lingua? A. Flagellum aeris. P. Quid est aer? A. Custodia vitae. P. Quid est vita? A. Beatorum laetitia, miserorum
5   maestitia, expectatio mortis. P. Quid est homo? A. Mancipium mortis, transiens viator, loci hospes. P. Quomodo positus est homo? A. Ut lucerna in vento. P. Ubi positus est? A. Intra sex

---

31. **nos...fugitivum** — "fleeing us"; **mundus** — vocative
33. **tu fugiens fugias** — "continue to flee," a curious use of repetition
35–36. **pios famulos...suos** — "his devoted servants"
36. **pectora** — here it really means "soul"
37. **quem** — "him"
38. **ille pius** — "he, benevolent"

2. **proditor** — here means "herald"
4. **beatorum** — "of the blessed"
   miserorum — "of the unhappy"
5. **mancipium** — "property"
6. **transiens** — "transient"

parietes. P. Quos? A. Supra, subtus; ante, retro; dextra laevaque. P. Quot habet socios? A. Quattuor. P. Quos? A. Calorem, frigus,
10 siccitatem, humorem. P. Quot modis variabilis est A. Sex, P. Quibus? A. Esurie et saturitate; requie et labore vigiliis et somno. P. Quid est somnus? A. Mortis imago. P. Quid est libertas hominis? A. Innocentia. P. Quid est caput? A. Culmen corporis. P. Quid est corpus? A. Domicilium animae. P. Quid sunt comae? A. Vestes
15 capitis. P. Quid est barba? A. Sexus discretio, honor aetatis. P. Quid est cerebrum? A. Servator memoriae. P. Quid sunt oculi? A. Duces corporis vasa luminis, animi iudices. P. Quid sunt nares? A. Adductio odorum. P. Quid sunt aures? A. Collatores sonorum. P. Quid est frons? A. Imago animi. P. Quid est os? A. Nutritor cor-
20 poris. P. Quid sunt dentes? A. Molae morsorum. P. Quid sunt labia? A. Valvae oris. P. Quid est gula? A. Devorator cibi.P. Quid sunt manus? A. Operarii corporis. P. Quid sunt digiti? A. Chordarum plectra. P. Quid est pulmo? A. Servator aeris. P. Quid est cor? A. Receptaculum vitae. P. Quid est fel? A. Suscitator ira-
25 cundiae. P. Quid est splenis? A. Risus et laetitiae capax. P. Quid est stomachus? A. Ciborum coquator P. Quid est venter? A. Custos fragilium. P. Quid sunt ossa? A. Fortitudo corporis. P. Quid sunt crura? A. Columnae corporis. P. Quid sunt pedes? A. Mobile funda- mentum. P. Quid est sanguis? A. Humor venarum, vitae alimentum.
30 P. Quid sunt venae? A. Fontes carnis. P. Quid est caelum? A. Sphaera omnium rerum.

P. Quid est dies? A. Incitamentum laboris.P. Quid est sol? A. Splendor orbis, caeli pulchritudo,naturae gratia, honor diei,

---

10. **quot...est** — "in how many ways does he vary?"
14. **comae** — "hair(s)"
15. **discretio** — "distinction"
17. **iudices** — "witnesses"
18. **adductio** — "conductor"; **collatores** — "collectors"
19. **nutritor** — "feeder"
20. **molae morsorum** — "food mills" (grinders)
21. **valvae** — "folding doors," "valves"
24. **receptaculum** — "reservoir"
    suscitator — "arouser," "inciter"
25. **capax** — "fit for," "capable of"; **coquator** — "digester"
27. **fragilium** — "of the weak"

horarum distributor. P. Quid est luna? A. Oculus noctis, roris larga, praesaga tempestatum. P. Quid sunt stellae? A. Pictura cul-
35 minis, nautarum gubernatores, noctis decor. P. Quid est nebula? A. Nox in die, labor oculorum. P. Quid est ventus? A. Aeris per-turbatio, mobilitas aquarum, siccitas terrae. P. Quid est terra? A. Mater crescentium, nutrix viventium, cellarium vitae, devoratrix omnium.

---

34. **larga** — "abounding in" (with genitive); **praesaga** — "predictor, foreteller"
38. **crescentium** — "of growing"

Paul the Deacon
(725–799)

This is but one of the various versions of this curious myth. See also the "Golden Legend." Paul the Deacon was from an aristocratic Lombard family and joined the court of Charlemagne after the collapse of the Lombard kingdom. This is an excerpt from his most famous work, "History of the Lombards."

Haut ab re esse arbitror, paulisper narrandi ordinem postponere, et quia adhuc stilus in Germania vertitur, miraculum quod illic apud omnes celebre habetur, seu et quaedam alia breviter intimare. In extremis circium versus Germaniae finibus, in ipso
5 oceani littore, antrum sub eminenti rupe conspicitur, ubi septem viri, incertum ex quo tempore, longo sopiti sopore quiescunt, ita inlaesis non solum corporibus, sed etiam vestimentis, ut ex hoc ipso, quod sine ulla per tot annorum curricula corruptione perdurant, apud indociles easdem et barbaras nationes veneratione
10 habeantur. Hi denique, quantum ad habitum spectat, Romani esse cernuntur. E quibus dum unum quidam cupiditate stimulatus vellet exuere, mox eius, ut dicatur, bracchia aruerunt, poenaque sua ceteros perterruit ne quis eos ulterius contingere auderet.

---

1. **Haut ab re** — "scarcely out of place"
2. **stilus...vertitur** — "the pen is turned towards"
3. **celebre** — "as famous"
   seu et — "and also"
3–4. **intimare** — "to make known"
   4. **circium** — "the west-northwest" (a region)
   6. **incertum ex quo tempore** — "it is not certain for how long"
10. **quantum...spectat** — "if one looks at their dress"
11. **quibus** — "one of these," *i.e.* the barbarians
   cupiditate — "by greed"
12. **exuere** — "to remove the clothing"; **aruerunt** — "withered"

Hymn for the Feast
of John the Baptist

his is part of the vesper hymn for the Feast of John the Baptist (24 June), and is famous as being the model for the scale of Guido of Arezzo (eleventh century). Each note of the half line begins on a higher note: ut, re, mi, fa, sol, la, sa (si). It is written in the Sapphic Strophe. The events surrounding the birth of John the Baptist can be found in the second chapter of Luke.

The word order can be confusing, but match the subjects with verbs.

Ut queant laxis resonare fibris
Mira gestorum famuli tuorum
Solve polluti labii reatum,
Sancte Johannes.

5   Nuntius celso veniens Olympo
Te patri magnum fore nasciturum,
Nomen et vitae seriem gerendae
Ordine promit.

Ille promissi dubius superni
10 Perdidit promptae modulos loquelae;
Sed reformasti genitus peremptae
Organa vocis.

---

1. **laxis...fibris** — "with relaxed voices"
3. **reatum** — "sin," "guilt"
7. **vitae seriem gerendae** — "the course of the life you were to lead"
8. **promit** — "announces"
9. **ille** — refers to Zachary, the father of John
10. **modulos** — "rhythms," "modes"

Ventris obstruso positus cubili,
Senseras regem thalamo manentem;
15 Hinc parens nati meritis uterque
Abdita pandit.

Antra deserti teneris sub annis,
Civium turmas fugiens, petisti
Ne levi saltim maculare vitam
20 Famine posses.

Praebuit hirtum tegimen camelus
Artubus sacris, strophium bidentes,
Cui latex haustum, sociata pastum
Mella locustis.

---

13. **obstruso** — from *obtrudo* — "hemmed in," "hidden"
15. **parens...uterque** — Mary and Elizabeth
17. **sub** — here means "in" or "during"
19–20. "so that you could not stain your life with frivolous speech"
21. **praebuit** — serves as the verb for *camelus, bidentes, latex* and *mella*
22. **strophium** — "girdle," "headband": accusative
    bidentes — "sheep"
23. **latex** — "spring water"
    sociata — "accompanied by"
24. **locustis** — "grasshopper," "locust"

Theodulph
(760–821)

Theodulph, a Spaniard, was a member of the inner circle of Charlemagne and considered the leading theologian of the Carolingian Empire. He was made Abbot of Fleury and Bishop of Orleans. After the death of Charles, he was accused of being involved in a conspiracy against Louis the Pious, Charles' successor, and was imprisoned. A later legend from the sixteenth century reported that the hymn Gloria Laus was composed in prison, and on Palm Sunday when the silent procession was passing the place of imprisonment, Theodulph sang the newly composed hymn, which so delighted the king that it secured Theodulph's release.

The hymn is sung during the procession of the palms on Palm Sunday. The most popular English version is by John Mason Neale, "All Glory Land and Honor." The metre is elegiac.

Gloria, laus et honor tibi sit, rex Christe, redemptor,
Cui puerile decus prompsit hosanna pium.

Israel es tu rex, Davidis et inclita proles,
Nomine qui in domini, rex benedicte, venis.

5 Coetus in excelsis te laudat caelicus omnis
Et mortalis homo et cuncta creata simul.

Plebs Hebraea tibi cum palmis obvia venit;
Cum prece, voto, hymnis adsumus ecce tibi.

Hi tibi passuro solvebant munia laudis;
10 Nos tibi regnanti pangimus ecce melos.

---

2. **puerile decus** — "youthful beauty," "lovely children"; **hosanna** — a neuter noun
9. **munia** — the usual form would be *munera* (from *munus*)

Hi placuere tibi; placeat devotio nostra,
Rex pie, rex clemens, cui bona cuncta placent.

Fecerat Hebraeos hos gloria sanguinis alti;
Nos facit Hebraeos transitus ecce pius.

15 Inclita terrenis transitur ad aethera victis,
Virtus a vitiis nos capit alma tetris.

Nequitia simus pueri, virtute vieti;
Quod tenuere patres, da teneamus iter.

Degeneresque patrum ne simus ab arte piorum,
20 Nos tua post illos gratia sancta trahat.

Sis pius ascensor, tuus et nos simus asellus,
Tecum nos capiat urbs veneranda Dei.

---

13. **sanguinis** — here "descent," "race"
14. **transitus** — "death"
15. **transitur** — impersonal use: "it is passed," *i.e.* "we pass"
17. **nequitia** — ablative of respect
19. **Degeneresque... ne simus** — "Let us not be inferior"; **ab arte** — "from the virtue"
21–22. These verses are a bit weird and not included in the liturgy nor have they been sung since the 17th century. The translation of John Mason Neale is:

"Be Thou O Lord the rider and we the little ass
that to God's holy city together we may pass."

Einhard
(770–849)

Einhard was a personal friend and biographer of Charlemagne. He was born in eastern France and spent most of his life in Charlemagne's Palace School until 830 when he retired to Seligenstadt, one of the properties bestowed on him by Charlemagne's successor, Louis the Pious.

His "Vita Karoli Magni," while justly admired, is sometimes less than candid about incidents not to Charlemagne's credit. In this work he takes Suetonius for a model. This passage omits mention of Charlemagne's motives in undertaking the Spanish War, and seeks to dismiss the extent of the Roncesvalles disaster. The word order has been slightly revised in the interest of clarity.

Vita Karoli Magni

Cum enim assiduo ac paene continuo bello cum Saxonibus
certaretur, praesidiis dispositis per congrua confiniorum loca,
Hispaniam quam maximo apparatu poterat belli adgreditur;
saltuque Pyrenaei superato, omnibus oppidis atque castellis in
5   deditionem acceptis quae adierat salvo et incolumi exercitu rever-
titur; praeter quod in ipso Pyrenaei iugo Wasconicam perfidiam
parumper in redeundo contigit experiri. Nam cum agmine longo,
ut loci et angustiarum situs permittebat, porrectus iret exercitus,

---

2. **certaretur** — a rather clumsy conceit, using an impersonal construction, "it was contested." A better translation is "he was struggling."
   per congrua confiniorum loca — "at suitable places along the borders"
3. Charles is the subject (understood) of **adgreditur; quam** — the translation with the superlative "as…as possible"
4. **saltu** — look for the second meaning of the word. It is not a leap.
6. **praeter quod** — "except that"; **Wasconicam** — "Basque," "Gascon"
7. **parumper** — "for a short while," an attempt at minimizing the Roncesvalles disaster. *Nam* begins a very long and involved sentence that needs patient analysis.
7–8. **agmine longo…porrectus iret exercitus** — "The army was marching stretched out in a long column"; **angustiarum** — "of the mountain passes"

Wascones in vertice summi montis positis insidiis (est enim locus
10   ex opacitate silvarum quarum ibi maxima est copia, insidiis
ponendis oportunus) extremam impedimentorum partem et eos
qui novissimi agminis incedentes subsidio praecedentes tuebantur
desuper incursantes in subiectam vallem deiciunt; consertoque
cum eis proelio usque ad unum interficiunt, ac direptis impedi-
15   mentis, noctis beneficio, quae iam instabat, protecti summa cum
celeritate in diversa disperguntur. Adiuvabat in hoc facto
Wascones et levitas armorum et loci, in quo res gerebatur situs; e
contra Francos et armorum gravitas et loci iniquitas per omnia
Wasconibus reddidit impares. In quo proelio Eggihardus regiae
20   mensae praepositus, Anselmus comes palatii et Hruodlandus
Brittanici limitis praefectus cum aliis conpluribus interficiuntur.

10–11. **insidiis ponendis** — "for setting an ambush" — dative after *opportunus.*
12. **incedentes...praecedentes** — are redundant since they mean almost the same
thing. They agree with *qui,* the subject of *tuebantur.*
   Subsidio — dative of purpose.
13. **incursantes** modifies *Wascones* on line 9. The objects of the participle are
extremam partem and *eos.* **conserto...proelio** — "having joined battle"
14. **ad unum** — "to a man," in other words, they killed everybody.
15. **beneficio** — "with the benefit," "under cover" after *protecti;* **in diversa** — in
different directions"; **adiuvabat** — subject is *levitas et...situs* in line 17.
17–18. **e contra** — "on the other hand"; **iniquitas** — "unevenness"
18. **per omnia** — "in all of this"
19. **impares** — "unequal" (with the dative)
19–20. **regiae mensae propositus** — "the royal steward"
20. **comes palatii** — "Count of the palace"
21–22. **Hruodlandus Brittanici limitis praefectus** — "Roland, prefect of the
boundary of Brittany." The military implication of this passage is what happens
when you put all your Basques in one exit.

Gottschalk
(805–869)

Gottschalk was presented to the monastery as an oblate and was made a monk against his will. He subsequently became a priest and became involved in teaching the doctrine of predestination that he found in the writings of Augustine. He was condemned, unfrocked and imprisoned, where he was reported to have died "quite mad." Few of his prose works remain.

This poem anticipates the vernacular with its use of diminutives, *pusiole*, *filiole*, *miserule*, *fratercule* etc.

Ut quid iubes, pusiole,
quare mandas, filiole,
carmen dulce me cantare
cum sim longe exul valde
5   intra mare?
O cur iubes canere?

Magis mihi, miserule,
flere libet puerule,
plus plorare quam cantare
10   carmen tale, iubes quale,
amor care.
O cur iubes canere?

---

1. **pusiole** — vocative, "little boy"
5. **intra mare** — "by the sea"

Mallem scias, pusillule,
ut velles tu, fratercule,
15 pio corde condolere
mihi atque prona mente
conlugere.
O cur iubes canere?

Scis, divine tyruncule,
20 scis, superne clientule,
hic diu me exsulare,
multa die sive nocte
tolerare.
O cur iubes canere?

25 Scis captive plebicule
Israheli cognomine
praeceptum in Babilone
decantare extra longe
fines Iude.
30 O cur iubes canere?

Non potuerunt utique,
nec debuerunt itaque.
Carmen dulce coram gente
aliena nostre terre
35 resonare
O cur iubes canere?

---

19. **divine tyruncule** — vocative, "holy novice"
20. **superne clientule** — "companion of heaven"
21–22. **me** is the subject of *exsulare* and *tolerare*
25. This is grammatically a convoluted verse. After *scis,* the impersonal *praeceptum* (*esse*) followed by the dative *captive plebicule*. It refers to Psalm 137, "By the waters of Babylon."
26. **Israheli cognomine** — "by the name of Israel"

Sed quia vis omnimode,
o sodalis egregie,
canam patri filioque
40   simul atque procedente
ex utroque.
Hoc cano ultronee.

Benedictus es, Domine,
Pater, Nate, Paraclite,
45   Deus trine. Deus une.
Deus summe, Deus pie,
Deus iuste.
Hoc cano spontanee.

Exul ego diuscule
50   hoc in mari sum, domine,
annos nempe duos fere
nosti fore, sed iamiamque
miserere.
Hoc rogo humillime.

---

37. **omnimode** — "in any case"
40–41. **procedente ex utroque** — "to the one proceeding from both" *i.e.* the Holy Spirit
42. **ultronee** — "of my own accord"
44. **Paraclite** — The Paraclete, Holy Spirit
49. **diuscule** — "for a long time"
52. **iamiamque** — "right now"

Walahfrid Strabo
(809–840)

Walahfrid Strabo was a poet of the second generation of the Carolingian Renaissance. He composed a long poem "Visio Wettini," a graphic description of his teacher's, Wettin's, dreams of heaven, hell, and purgatory. He also wrote a long poem, "De Cultu Hortorum," about his garden plot at the monastery of Reichenau. He was a student of Hrabanus Maurus and a friend of Gottschalk. The poem on friendship in the hexameter has the virtue of being sincere, short and intelligible. Moonlight is here associated with fellowship rather than the darker arts of sorcery and necromancy.

> Cum splendor lunae fulgescat ab aethere purae,
> Tu sta sub divo cernens speculamine miro
> Qualiter ex luna splendescat, lampade pura,
> Et splendore suo caros amplecitur uno
> 5 Corpore divisos, sed mentis amore ligatos.
> Si facies faciem spectare nequivit amantem,
> Hoc saltem nobis lumen sit pignus amoris.
> Hos tibi versiculos fidus transmisit amicus;
> Si de parte tua fidei stat fixa catena,
> 10 Nunc precor, ut valeas felix per saecula cuncta.

---

2. **speculamine miro** — "wondrous vision," filled with wonder
3. **pura** — "bright"
4. **uno** — modifies *splendore* and used in the sense of "unique"
7. **lumen** — "the light of the moon"

Sedulius Scotus
(ca. 840–874)

Sedulius, an Irishman, arrived in Belgium (Liège) where he received an appointment at the Cathedral School. He assumed the role of an impoverished scholar, but when he became a member of the Court of Charles the Bold, he could no longer maintain that characteristic.

His verse is classical in form and some of it is not unlike the Cloak poems of Hugh Primas, and the Archpoet.

Aut lego vel scribo, doceo scrutorve sophian:
obsecro celsithronum nocte dieque meum.
vescor, poto libens, rithmizans invoco musas,
dormisco stertens: oro Deum vigilans.
5   conscia mens scelerum deflet peccamina vitae:
parcite vos misero, Christe, Maria, viro.

---

1. **sophian** — accusative
2. **celsithronum** — epithet for God
3. **rithmizans** — "making poems"
5. **peccamina** — "sins"

Notker Balbulus
(840–912)

Notker Balbulus (the Stammerer) was a monk of St. Gall, where he studied music. It was he who first had the idea of supplying the empty syllables of the *Alleluia jubilus* with an appropriate text, which afterwards became the Sequence of the Mass. He is also thought to be the "Monk of St. Gall" who wrote a Life of Charlemagne.

Rachel, mentioned in the third line, was the younger and prettier daughter of Laban, wife of Jacob, and mother of Joseph and Benjamin. She died giving birth to him. Her tomb in Bethlehem is still a place of pilgrimage and a place of Israeli-Arab contention.

> Quid tu, virgo
> Mater, ploras
> Rachel formosa,
>
> Cuius vultus
> 5   Iacob delectat?
>
> Ceu sororis
> aniculae
>
> Lippitudo
> eum iuvet!
>
> 10   Terge, mater fluentes
> oculos.
>
> Quam te decent genarum
> rimulae?

---

12. **Quam** — "How?"

Heu, heu, heu, quid me
15 incusatis fletus
incassum fudisse,

Cum sim orbato nato,
paupertatem meam
qui solus curaret;

20 Qui non hostibus
cederet
angustos terminos,
quos mihi
Iacob acquisivit;

25 Quique stolidis
fratribus,
quos multos, proh dolor,
extuli,
esset profuturus?'

30 Numquid flendus est iste,
qui regnum possedit caeleste

Quique prece frequenti
miseris fratribus
apud Deum auxiliatur?

---

28. **extuli** — "brought forth" ("bore," "gave birth to")
29. **esset profuturus** — "would have benefitted" (helped)

Angelbert
(late 9th century)

The empire of Charlemagne began to fall apart after the death of his son Louis the Pious. The battle of Fontenoy took place on June 25, 841, having been delayed a day because the Feast of John the Baptist was considered so solemn. The outcome of Fontenoy resulted in the partition of the empire which was not formalized until two years later. Angelbert, who is not the "Homer" in Alcuin's poem, a follower of Lothar (Hlotharius), is a poet of talent who had a good knowledge of classical works. This is an alphabetical poem. Each verse begins alphabetically. This is about half the poem.

Pay particular attention to the notes on "Medieval Latin," pp. vii–xi.

This poem is also in the trochaic tetrameter catalectic — the marching metre.

> Aurora cum primo mane tetra noctis dividit,
> Sabbati non illud fuit sed Saturni dolium.
> De fraterna rupta pace gaudet demon impius.
>
> Bella clamant, hinc et inde pugna gravis oritur.
> 5   Frater fratri mortem parat, nepoti avunculus,
> Filius nec patri suo exhibet quod meruit.

---

1. **Aurora...primo mane** — "the first dawn in the morning." This is somewhat tautological but works better in Latin than English.
2. The battle took place on Saturday. Note the use of both the pagan and Christian names for the day.
   Sabbati — genitive of characteristic; *dolium* is used here in the sense of "cauldron."

Cedes nulla peior fuit campo nec in Marcio.
Fracta est lex christianorum; sanguinis hic profluit
Unda manans; inferorum gaudet gula Cerberi.

10   Dextera prepotens dei protexit Hlotharium,
Victor ille manu sua pugnavitque fortiter.
Ceteri si sic pugnassent, mox foret victoria.

Ecce olim velut Iudas salvatorem tradidit,
Sic te, rex, tuique duces tradiderunt gladio.
15   Esto cautus, ne frauderis agnus lupo previus.

Fontaneto fontem dicunt, villam quoque rustice,
Ubi strages et ruina Francorum de sanguine.
Orrent campi, orrent silve, orrent ipsi paludes.

Gramen illud ros et ymber nec humectet pluvia,
20   In quo fortes ceciderunt, prelio doctissimi,
Pater, mater, soror, frater, quos amici fleverant.

Hoc autem scelus peractum, quod descripsi ritmice,
Angelbertus ego vidi pugnansque cum aliis.
Solus de multis remansi prima frontis acie.

---

7. **campo in Marcio** — "on the field of battle"
9. **inferorum** — this is an objective genitive that can best be translated as "in the lower regions" (hell)
11. **victor** — not so much the victor as "the courageous," since the battle was not won by him.
15. **Esto** — imperative: "be!"
    previus — "going before" (with the dative)
16. **Fontaneto** — Fontenoy; rustice "in the vernacular"
17. ff. — a paraphrase of II Samuel 1:21
18. **orrent** — *horrent*
22. **ritmice** — for *rhythmice*, "in verse"
24. **Prima frontis acie** — "in the front line of battle"

The Tenth and Eleventh Centuries

The tenth century saw a decline in papal credibility but the beginning of a distinctive civilization in Germany. It also marked the establishment of Cluny and later the Cistercians in France, on Benedictine foundations that had important reforming influence on the monastic orders and the papacy.

The eleventh century was one of great importance. It began with the pontificate of Sylvester II, who as the monk Gerbert reformed the curriculum in the Cathedral schools.

The century opened with great anxiety since many believed that it was "the millennium" or the time of the second coming of Christ, which would mark the end of the world. The century ended with the recapture of Jerusalem by the Crusaders and the establishment of the Latin kingdoms of the East. The last half of the century was remarkable for the final break between the Greek church in the East and the Latin church in the West (1054), the Norman conquest (1066), the aggressive affirmation of papal power under Gregory VII (the imposition of celibacy in 1075, and the submission of Emperor Henry IV at Canossa in 1077), and the preaching of the First Crusade (1095) by Pope Urban II.

Hrosvitha of Gandersheim
(935–972)

Hrosvitha, a Saxon nun, spent nearly all of her life in the monastery of Gandersheim. Her plays were written as a Christian answer to the questionable morality of the plays of Terence. She was the best Latinist of her age and the only important Latin playwright after Seneca who died in the first century. Dulcitius was a liberal adaptation of an early hagiographical work *De Sanctis Sororibus Agape Chionia et Irene*. Although there are some stylistic and vocabulary peculiarities, her Latin is direct and uncomplicated. As drama, her plays are quite possible to stage, even though many of the scenes are very short. The story concerns a Roman prefect during the time of Diocletian who lusted after three Christian maidens—and was deluded. The martyrdom of these three women took place in 290 at Thessalonika. Their names, Agapes—love, Chionia—purity (snow white), and Irena—peace, indicate admirable Christian virtues.

From Dulcitius Act 3

DULCITIUS: Quid agant captivae sub hoc noctis tempore?

MILITES: Vacant hymnis.

DULCITIUS: Accedamus propius.

MILITES: Tinnulae sonitum vocis a longe audiemus.

5 DULCITIUS: Observate pro foribus cum lucernis.

---

1. **agant** — a curious use of the subjunctive, almost as if it were an implied indirect question
2. **vacant** — "they are passing the time"
3. **propius** — "nearer"
4. **a longe** — cf. the note on "Medieval Latin," pp. ix–xiii.
5. **pro foribus** — "in front of his doors"

Ego autem intrabo et vel optatis amplexibus me saturabo.

MILITES: Intra. Praestolabimur.

IV.

AGAPES: Quid strepat pro foribus?

10   IRENA: Infelix Dulcitius ingreditur.

CHIONIA: Deus nos tueatur!

AGAPES: Amen.

CHIONIA: Quid sibi vult collisio ollarum, caccaborum, et sartaginum?

15   IRENA: Lustrabo. Accedite, quaeso! Per rimulas perspicite.

AGAPES: Quid est?

IRENA: Ecce, iste stultus, mente alienatus, aestimat se nostris uti amplexibus!

20   AGAPES: Quid facit?

---

6. **vel** — "even"
7. **praestolabimur** — "we will wait"
9. **strepat** — see note on line 1
13. **quid sibi vult** — "what does it mean?"
   olla — "pot" or "jar"
   caccabus — "a cooking pot"
14. **sartago** — "a frying pan." These are different kinds of cooking utensils.
15. **lustrabo** — "I will wander over" (or observe)
   rimula — diminutive of *rima* — "crack"
18. **mente alienatus** — "deprived of reason"
19. **uti** — "is enjoying" (plus ablative)

IRENA: Nunc ollas molli fovet gremio, nunc sartagines et caccabos amplectitur, mitia libans oscula.

CHIONIA: Ridiculum.

IRENA: Nam facies, manus ac vestimenta adeo sordidata,
25   adeo coinquinata ut nigredo quae inhaesit simili-
         tudinem Aethiopis exprimit.

AGAPES: Decet ut talis appareat corpore qualis a diabolo possidetur in mente.

IRENA: En, parat regredi. Intendamus quid illo egrediente
30   agant milites pro foribus exspectantes.

V.

MILITES: Quis hic egreditur? Daemoniacus! Vel magis ipse diabolus. Fugiamus.

DULCITIUS: Milites, quo fugitis? State exspectate! Ducite me
35   cum lucernis ad cubile.

MILITES: Vox Senioris nostri, sed imago diaboli. Non subsista-
mus sed fugam maturemus. Phantasma vult nos
pessum dare.

---

22. **libans** — "touching" or "tasting"; supply "them" as its direct object.
25. **coinquinata** — "gross," "contaminated," "filthy"; **nigredo** — "blackness"
26. **exprimit** — "portrays"
27–28. **qualis a diabolo possidetur** — "as he is possessed by the devil"
29. **intendamus** — "let us wait and see"
     illo egrediente — ablative absolute
32. **Daemoniacus** — "a demon," or "devil"
34. **quo** — "where"
     ad cubile — "to bed"
36. **senioris** — this is a title of respect whence we have *signore* or *senor*
38. **pessum dare** — "to destroy"

40 DULCITIUS: Ad Palatium ibo et quam abiectionem patior principibus vulgabo.

VI.

DULCITIUS: Ostiarii, introducite me in Palatium quia ad
Imperatorem habeo secretum.

OSTIARII: Quid hoc vile ac detestabile monstrum, scissis et
45 nigellis panniculis obsitum? Pugnis tundamus, de
gradu praecipitemus, nec ultra huc detur liber
accessus.

DULCITIUS: Vae, vae! Quid contigit? Nonne splendidissimis
vestibus indutus totoque corpore videor nitidus?
50 Et quicumque me aspicit, velut horribile monstrum fastidit. Ad coniugem revertar quo ab illa
quid actum sit experiar. En, solutis crinibus egreditur omnisque domus lacrimis prosequitur.

VII.

CONIUNX: Heu, heu! Mi Senior Dulciti, quid pateris? Non es
55 sanae mentis. Factus es in derisum Christicolis.

DULCITIUS: Nunc tandem sentio me illusum illarum maleficiis.

---

39. **abiectionem** — "disgrace"
40. **vulgabo** — "I will make known"
45. **panniculis** — "clothing" (ablative)
    obsitum — from *obsero*, "covered"
46. **praecipitemus de** — "let us throw him away from"
51. **fastidit** — "feels disgust"
52. **solutis crinibus** — "with uncombed hair" — indicating that the household is in
    mourning
55. **in derisum** — "as a laughing stock"
    Christicolis — "to the worshippers of Christ"

CONIUNX: Hoc me vehementer confudit, hoc praecipue con-
tristavit, quod quid patiebaris ignorasti.

DULCITIUS: Mando ut lascivae praesententur puellae et,
60 abstractis vestibus, publice denudentur; quo, versa
vice, quid nostra possint ludibria experiantur.

VIII.

MILITES: Frustra sudamus, in vanum laboramus. Ecce, vestimenta virgineis corporibus inhaerent velut coria.
Sed et ipse qui nos ad exspoliandum urgebat prae-
65 ses stertit sedendo, nec ullatenus excitari potest a
somno, Ad Imperatorem adeamus ipsique seriem
rerum quae geruntur propalemus.

IX.

DIOCLETIANUS: Dolet nimium quod Praesidem
Dulcitium audio adeo illusum, adeo exprobratum,
70 adeo calumniatum. Sed ne viles mulierculae
iactent se impune nostris diis deorumque cultoribus illudere, Sisinnium Comitem dirigam ad
ultionem exercendam.

---

57. **praecipue** — "very"
58. **ignorasti** — syncopated form
59. **praesententur** — "that they be brought here"
60. **quo** — "so that" (relative purpose clause)
62. **in vanum** — "in vain"
64. **ipse** and **praeses** go together
65. **ullatenus** — "in no way"
66–67. **ipsi propalemus** — "let us tell him openly"
69. **illusum (esse)** — "has been made such fun of"
71. **nostris diis** — dative after *illudere*
72. **comitem** — "Count"
72–73. **ad ultionem exercendam** — gerundive construction to express purpose

Rodulfus Glaber
(980–1046)

By his own admission, Glaber was illegitimate, "begotten in the sins of his parents." He lived through the last millennium and was fascinated by it. His *Histories* written in the 1030s reflect a good critical sense in that he tries to report only those events he could verify or those at which he was actually present. His work is the first by a Northern European historian that mentions Mohammed or the tenets of Islam. In addition to the *Histories,* he also wrote the "Life of St. William," whom he had known personally.

De Paganorum plagis

Denique circa nongentesimum Verbi incarnati annum, egressus ab Hispania rex Sarracenorum Algalif, ueniensque cum exercitu maximo in Italiam, scilicet traditurus humanas res cum suis in predam tum gladio atque incendio demoliendas. Qui dum uenis-

5 set depopulans totam regionem usque Beneuentum progressus est. Ex aliquibus tamen ciuitatibus Italiae primates collecto agmine nisi sunt aduersus predictum Algalif inire pugnam. Sed cum se cernerent exercitu nimium impares, ut sepius mos est istis modernis Italicis, fuge potius quam bellum petiere presidium.

10 Interea reuersi cum suo principe ad Affricam Sarraceni, ab illo tempore non destiterunt impugnare regionem Italie, quamuis plurimis fuissent preliis lacessiti tam ab imperatoribus quam a

---

The notes on "Medieval Latin," pp. ix–xiii, should be consulted carefully.

2. **Algalif** — it is not known whether this simply means "the caliph"
3. **traditurus...res** — (see notes on "Medieval Latin, " pp. ix–xiii.) "to hand over men's property"
6. **primates** — "the princes"
7. **nisi sunt...inire pugnam** — they tried to begin the fight
9. **petiere** — third person plural of the perfect tense

patrie ducibus ac marchionibus, usque ad Almuzor illorum principem et predictum Henricum Romanorum imperatorem.

15 Prescripto igitur tempore non minor clades in Galliarum populis Normannorum infestatione extitit hostium. Qui uidelicet Normanni nomen inde sumpsere, quoniam raptus amore primitus egressi ex aquilonaribus partibus audacter occidentalem petiere plagam. Siquidem lingua illorum propria Nort aquilo dicitur,
20 Mint quoque populus appellatur. Inde uero Normanni quasi aquilonaris populus denominatur. Hi denique in primo egressu diutius circa mare occeanum degentes, breuibus contenti stipendiis, quousque in gentem coaluere non modicam. Postmodum uero telluris ampla et pelagi hostili manu perua-
25 gantes aliquas urbes ac prouintias in propriam redigere sortem.

---

13. **marchionibus** — "margrave," a military leader, like a duke or count.
   usque ad — "until the time of"; **Almuzor** — "al-Mansur the caliph of Bagdad," a patron of learning
15. **praescripto...tempore** — "at this time"
16. **extitit** has the same sense as *fuit* — the subject is *clades;* **infestatione** — "by the attack"
17. **raptus amore primitus** — "first motivated by a love of plunder"
19–20. **Nort...appelatur** — *Nort* means "the north"; **Mint** —a people
22. **breuibus contenti stipendiis** — "content with a modest livelihood"
23. **coaluere** — from *coalesco*

The Cambridge Songs

This group of poems from the tenth and eleventh centuries are named from a manuscript found at the university library at Cambridge. The poem that follows was a famous love song that paraphrases in places the Canticle of Canticles from the Bible.

> "Jam, dulcis amica, venito,
> Quam sicut cor meum diligo;
> Intra in cubiculum meum,
> Ornamentis cunctis onustum.
>
> 5   Ibi sunt sedilia strata
> Et domus velis ornata
> Floresque in domo sparguntur,
> Herbaeque fragrantes miscentur.
>
> Est ibi mensa apposita,
> 10   Universis cibis onusta;
> Ibi clarum vinum abundat
> Et quicquid te, cara, delectat.
>
> Ibi sonant dulces symphoniae,
> Inflantur et altius tibiae;
> 15   Ibi puer et docta puella
> Pangunt tibi carmina bella.

---

1. **venito** — the future imperative, translated as "come"
6. **velis** — "with hangings, curtains"
15. **docta puella** — "a well-trained girl"

Hic cum plectro citharam tangit,
Illa melos cum lyra pangit;
Portantque ministri pateras
20   Pigmentatis poculis plenas."

"Non me juvat tantum convivium
Quantum post dulce colloquium,
Nec rerum tantarum ubertas
Ut dilecta familiaritas."

25   "Jam nunc veni, soror electa
Et prae cunctis mihi dilecta,
Lux meae clara pupillae
Parsque major animae meae."

"Ego fui sola in silva,
30   Et dilexi loca secreta;
Frequenter effugi tumultum,
Et vitavi populum multum."

"Carissima, noli tardare;
Studeamus nos nunc amare;
35   Sine te non potero vivere:
Jam decet amorem perficere.

Quid juvat differre, electa,
Quae sunt tamen post facienda?
Fac cito quod eris factura;
In me non est aliqua mora."

---

18. **melos** (n) — "song"
20. **pigmentatis** — "painted"; one commentator doubtfully translates the phrase "with spiced wine"
19. **pateras** — "cups," "bowls"
    Lines 21–24 and 29–33 are spoken by the woman.
25. **electa** — "dear"
27. **pupillae** — "of my eye"

A Tenth-Century Trope

In the ninth century a new style developed in making interpolations (filling in the notes with words) on the elaborate musical ornamentation of the chant. The interpolations were the beginning of the sequence or simple liturgical drama like the one below, which comes from England.

> "Quem quaeritis in sepulchro, o christicolae?"
> **Sanctarum mulierum responsio:**
> "Ihesum Nazarenum crucifixum, o caelicola."
> **Angelicae vocis consolatio:**
> 5   "Non est hic, surrexit sicut praedixerat,
> Ite, nuntiate quia surrexit, dicentes"
> **Sanctarum mulierum ad omnem clerum modulatio:**
> Alleluia! Resurrexit Dominus hodie,
> Leo fortis, Christus filius Dei! Deo gratias dicite eia.
> 10 **Dicat angelus:**
> Venite et videte locum ubi positus erat Dominus, alleluia!
> Alleluia!
> Cito euntes dicite discipulis quia surrexit
> Dominus, alleluia, alleluia.
> 15 Mulieres una voce canant iubilantes
> Surrexit Dominus de sepulchro,
> Qui pro nobis pependit in ligno, alleluia!

---

1. **Christicolae** — "worshippers of Christ"
3. **caelicola** — "O dweller of heaven"
7. **modulatio** — "melody"
15. **canant iubilantes** — "sing joyfully"

O Roma Nobilis

A tenth-century North Italian hymn said to have been sung by pilgrims on the way to Rome. The meter, as one commentator puts it, is "roughly dactylic," although a case can be made for the Asclepiadian.

O Roma nobilis, orbis et domina
cunctarum urbium excellentissima,
roseo martyrum sanguine rubea,
albis et virginum liliis candida;
5   salutem dicimus tibi per omnia,
te benedicimus. Salve per saecula!

Petre, tu praepotens caelorum claviger,
vota precantium exaudi iugiter.
cum bis sex tribuum sederis arbiter,
10   factus placabilis, iudica leniter,
teque precantibus nunc temporaliter
ferto suffragia misericorditer.

---

3. **rubea** — "red"
4. **liliis virginum** — refers to the symbolic connection between the lily and purity
5. **salutem dicimus** — "we greet you"
7. **praepotens** — "most powerful"
   claviger — "keeper of the keys"
9. **arbiter** — "judge"
   bis sex — the twelve tribes of Israel
10. **placabilis** — "conciliated," "appeased"
11. **temporaliter** — "in this world"
12. **ferto** — imperative (future)
   suffragia — "approval"

O Paule, suscipe nostra precamina,
cuius philosophos vicit industria;
15   factus oeconomus in domo regia,
divini muneris appone fercula;
ut quae repleverit te sapientia
ipsa nos repleat tua per dogmata.

---

13. **precamina** — "prayers"
14. **industria** — "zeal"
15. **oeconomus** — "steward"
16. **fercula** — "dishes"
17. **sapientia** is the subject of *repleverit*.
18. **dogmata** — "teaching"

𝔚ipo
(died 1050)

ipo was probably a Burgundian and Chaplain to Emperor Conrad. His "Life of Conrad" shows him to have been a person of learning.

The *Victimae Pascali Laudes* is a "rhythmical prose" and was one of the five sequences used in the Roman Church before Vatican II. The drama that unfolds is based on the Gospel according to John.

Easter Sequence

Victimae paschali laudes
immolent Christiani.

Agnus redemit oves:
Christus innocens patri
5   reconciliavit
peccatores.

Mors et vita duello
conflixere mirando,
dux vitae, mortuus,
10   regnat vivus.

---

1. Jesus is the paschal victim
2. **immolent** — "offer (as a sacrifice)": jussive subjunctive; the subject is *Christiani*.
4. **patri** — "to God the Father"
8. **conflixere** — third person plural of the perfect

Dic nobis Maria
'quid vidisti in via?'
'sepulchrum Christi viventis
et gloriam vidi resurgentis:

15   Angelicos testes
sudarium et vestes.
Surrexit Christus spes mea!
Praecedet suos in Galilaea.'

Credendum est magis
20   Mariae veraci quam Iudaeorum turbae fallaci.

Scimus Christum surrexisse
a mortuis vere;
tu nobis, victor rex, miserere!

---

11. **Maria** — Mary Magdalene, who saw the risen Jesus first
14. **resurgentis** — "of the rising" or "of the risen" (Christ)
15. **Angelicos testes** — object of *vidi*
16. **sudarium** — a cloth wrapped around the head of a dead person
18. **suos** — his (disciples)
19–20. a rather gratuitous piece of anti-Semitism. "Truthful Mary is to be believed more than"
23. **a mortuis** — "from the dead"
24. **miserere** — "have mercy on us!"

Hymns and Prayers to Mary, Mother of Jesus

Hermannus Contractus (Herman the Crippled), 1013–1054, was Abbot of the Monastery of Reichenau. He was one of the most learned men of his time and is thought to be author of the final anthems, *Salve Regina* and *Alma Redemptoris.*

I. Salve Regina

 alve Regina is the last anthem sung in monasteries before the monks retire during most of the year (Trinity Sunday to the first Sunday of Advent).

> Salve, regina mater misericordiae,
> Vita, dulcedo et spes nostra, salve.
> Ad te clamamus exules filii Evae,
> Ad te suspiramus gementes et flentes
> 5   In hac lacrimarum valle.
>
> Eja ergo, O advocata nostra,
> Illos tuos misericordes oculos ad nos converte,
> Et Jesum, benedictum fructum ventris tui,
> Nobis post hoc exilium ostende,
> 10   O clemens, O pia
> O dulcis virgo Maria

---

1. **regina, mater** — vocatives
2. **nostra** goes with all these nouns.
6. **Eja** — an interjection of joy
7. **misericordes** — "merciful"

II. Alma Redemptoris

his final anthem sung from Advent to February 2 is hexameter. The hymn is of major importance in the Prioress' Tale of Chaucer.

> Alma redemptoris mater, quae pervia caeli
> Porta manes et stella maris, succurre cadenti
> Surgere qui curat populo. Tu quae genuisti
> Natura mirante tuum sanctum genitorem
> 5 Virgo prius ac posterius, Gabrielis ab ore
> Sumens illud Ave, peccatorum miserere.

---

1. **pervia** — "accessible"
2. **succurre** — "give help'
3. **curat** — "try," "are anxious"
5. **Gabrielis** — The Angel Gabriel, who advised Mary she was to be the Mother of God.

III. Ave Maria

This prayer basically follows the spondee — dactyl — five syllable line. The first verse essentially is a paraphrase of words from the gospel of Luke. The second verse was added later. Compare the section of T. S. Eliot's "Ash Wednesday," beginning "Lady of Silences."

Ave Maria
Gratia plena
Dominus tecum
Benedicta tu

5   In mulieribus
Et benedictus
Fructus ventris tui
Jesu

Sancta Maria
10   Mater Dei
Ora pro nobis
Peccatoribus

Nunc et in hora
Mortis nostrae
15   Amen

---

3 and 4 — supply **est**

Adam of Bremen
(ca. 1040–1076)

A dam of Bremen wrote the history of the Diocese of Hamburg but included therein many items that interested him including the history and ethnography of Scandinavia (Norway, Sweden, Denmark). Although not always reliable, he is one of the few sources for the geography and early history of the Vikings. The spelling and grammar can be quite idiosyncratic. This passage describes the discovery of Vineland (North America).

Praeterea unam adhuc insulam recitavit a multis in eo repertam occeano, quae dicitur Winland, eo quod ibi vites sponte nascantur vinum optimum ferentes. Nam et fruges ibi non seminatas habundare non fabulosa opinione sed certa comperimus relatione Danorum.

5   Item nobis retulit beatae memoriae pontifex Adalbertus, in diebus antedecessoris sui quosdam nobiles de Fresia viros causa pervagandi maris in boream vela tetendisse, eo quod ab incolis eius populi dicitur ab ostio Wirrahae fluminis directo cursu in aquilonem nullam terram occurrere praeter infinitum occeanum. Cuius rei
10   novitate pro vestiganda coniurati sodales a litore Fresonum laeto celeumate progressi sunt. Deinde relinquentes hinc Daniam, inde Britanniam, pervenerunt ad Orchadas. Quibus a laeva dimissis, cum Nordmanniam in dextris haberent, longo traiectu glacialem Island collegerunt. A quo loco maria sulcantes in ultimum septentrionis

---

1. **recitavit** — The subject he refers to is the narrator.
5. **Adalbertus** — Archbishop of Hamburg/Bremen who visited the King of Denmark.
6. **antedecessoris** — "of his predecessor"
   Fresia — Frisia (northwest Germany — Friesland)
8. **Wirrahae** — the Weser River
11. **celeuma(atis)** — the call given by the chief oarsman to begin rowing.
12. **Orchadas** — the Orkneys
13. **Nordmanniam** — Norway
   Island — Iceland
14. **collegerunt** — "arrived at"
   ultimum septentrionis axem — the last region of the North

15 axem, postquam retro se omnes de quibus supra dictum est insulas
viderunt, omnipotenti Deo et sancto confessori Willehado suam
commendantes viam et audatiam, subito collapsi sunt in illam tene-
brosam rigentis occeani caliginem quae vix oculis penetrari valeret.
Et ecce instabilis occeani euripus ad initia quaedam fontis sui
20 archana recurrens, infelices nautas iam desperatos, immo de morte
sola cogitantes, vehementissimo impetu traxit ad chaos illud pro-
fundum in quo fama est omnes recursus maris, qui decrescere
videntur, absorberi et denuo revomi, quod fluctuatio crescens dici
solet. Tunc illis solam Dei misericordiam implorantibus ut animas
25 eorum susciperet, impetus ille recurrens pelagi quasdam sociorum
abripuit, ceteras autem revomens excursio longe ab alteris post terga
reppulit. Ita illi ab instanti periculo quod oculis viderant oportuno
Dei auxilio liberati, toto nisu remorum fluctus adiuvarunt.

Et iam periculum caliginis et provintiam frigoris evadentes,
30 insperate appulerunt ad quandam insulam altissimis in circuitu
scopulis ritu oppidi munitam. Huc visendorum gratia locorum
egressi, reppererunt homines in antris subterraneis meridiano
tempore latitantes; pro quorum foribus infinita iacebat copia
vasorum aureorum et eiusmodi metallorum, quae rara mortalibus
35 et preciosa putantur. Itaque sumpta parte gazarum quam sublevare
poterant, laeti remiges festine remeant ad naves, cum subito retro
se venientes contemplati sunt homines mirae altitudinis, quos
nostri appellant Cyclops; eos antecedebant canes magnitudinem
solitam excedentes eorum quadrupedum. Quorum incursu raptus
40 est unus de sociis, et in momento laniatus est coram eis; reliqui
vere suscepti ad naves, evaserunt periculum, gygantibus, ut ref-
erebant, pene in altum vociferando sequentibus. Tali fortuna
comitati Fresones Bremam perveniunt, ubi Alebrando pontifici ex
ordine cuncta narrantes pio Christo et confessori eius Willehado
45 reversionis et salutis suae hostias immolarunt.

---

16. **Willehado** — St. Willehad (†789), a Northumbrian friend of Alcuin, became the
Apostle of Frisia and established the see of Bremen.
22. **decrescere** — "to disappear"
41. **gygantibus** — "from the giants"
43. **Bremam** — Bremen

Robert the Monk

There are four contemporary accounts of the Sermon of Pope Urban II at the Council of Clermont (1095), each with its different emphasis. Robert the Monk, of Rheims, who claims to have been present, stresses Urban's appeal to the pre-eminence and military glory of the Franks. Urban himself was a northern Frenchman and politically astute as can be seen from this text. Many of the more lurid passages of Muslim atrocities towards Christians have been omitted.

The Council of Clermont

Gens Francorum, gens transmontana, gens sicuti in pluribus vestris elucet operibus, a Deo electa et dilecta, tam situ terrarum quam fide catholica, quam honore sanctae Ecclesiae, ab universis nationibus segregata, ad vos sermo noster dirigitur vobisque nostra
5   exhortatio protenditur. Scire vos volumus quae lugubris causa ad vestros fines nos adduxerit; quae necessitas vestra cunctorumque fidelium attraxerit. Ab Iherosolimorum finibus et urbe Constantinopolitana relatio gravis emersit et saepissime iam ad aures nostras pervenit, quod videlicet gens regni Persarum, gens
10 extranea, gens prorsus a Deo aliena, "generatio scilicet quae non direxit cor suum, et non est creditus cum Deo spiritus eius," terras illorum Christianorum invaserit, ferro, rapinis, incendio depopulaverit, ipsosque captivos partim in terram suam abduxerit, partimque

---

1. **transmontana** — "across the mountains": (the Alps) with respect to Rome

2–4. **tam situ...nationibus** — all qualify *segregata:* refers to France as a geographical unity, and "the eldest daughter of the church."

2–3. **tam...quam** — "both...and"

7. **Iherosolimorum** — one of the many creative spellings of Jerusalem. In the plural, however, it means the citizens of Jerusalem.

9. **gens regni Persarum** — *i.e.* the Seljuk Turks.

10–11. Psalm 78:8 — "a generation whose heart was not steadfast, whose spirit was not faithful to God."

nece miserabili prostraverit, ecclesiasque Dei aut funditus everterit
15 aut suorum ritui sacrorum mancipaverit…

Quibus igitur ad hoc ulciscendum, ad hoc eripiendum labor
incumbit, nisi vobis, quibus prae ceteris gentibus contulit Deus
insigne decus armorum, magnitudinem animorum, agilitatem
corporum, virtutem "humiliandi verticem capilli" vobis resisten-
20 tium? Moveant vos et incitent animos vestros ad virilitatem gesta
praedecessorum vestrorum, probitas et magnitudo Karoli Magni
regis, et Ludovici filii eius aliorumque regum vestrorum, qui
regna paganorum destruxerunt et in eis fines sanctae Ecclesiae
dilataverunt. Praesertim moveat vos sanctum Domini Salvatoris
25 nostri Sepulcrum, quod ab immundis gentibus possidetur, et loca
sancta, quae nunc inhoneste tractantur et irreverenter eorum
immundiciis sordidantur. O fortissimi milites et invictorum
propago parentum, nolite degenerari, sed virtutis priorum vestrorum reminiscimini. Quod si vos carus liberorum et parentum et
30 coniugum detinet affectus, recolite quid in Evangelio dicat
Dominus: "Qui amat patrem aut matrem super me, non est me
dignus. Omnis qui reliquerit domum, aut patrem, aut matrem, aut
uxorem, aut filios, aut agros, propter nomen meum, centuplum
accipiet et vitam aeternam possidebit." Non vos protrahat ulla
35 possessio, nulla rei familiaris sollicitudo, quoniam terra haec
quam inhabitatis, clausura maris undique et iugis montium cir-
cumdata, numerositate vestra coangustatur, nec copia divitiarum
exuberat et vix sola alimenta suis cultoribus administrat. Inde est

---

15. **mancipaverit** — "make over." There follows a graphic description of Turkish atrocities.

19. **verticem capilli** — Psalm 67:22 (68.21): "the hairy scalp"

21–23. Charlemagne (769–814), and Louis the Pious (814–40). The conversion of Germany under Boniface (c. 720–55) and his companions was achieved under the protection of the Frankish kings.

29. **reminiscimini** — imperative; verbs of remembering govern the genitive
Quod si — "but if"

30. **Evangelio** — "gospel"

31ff. Matthew 10:37

33. **centuplum** — "a hundredfold"

34. **protrahat** — "hold back"

36. **clausura** — ablative, "barrier"

37. **coangustatur** — "is made yet smaller" (perhaps the real reason for the crusade)

quod vos in invicem mordetis et contenditis, bella movetis et
40   plerumque mutuis vulneribus occiditis.cessent igitur inter vos
odia, conticescant iurgia, bella quiescant et totius controversiae
dissensiones sopiantur. Viam sancti sepulcri incipite, terram illam
nefariae genti auferte, eamque vobis subiicite, terra illa filiis
Israel a Deo in possessionem data fuit, sicut Scriptura dicit, quae
45   lacte et melle fluit.

"Iherusalem umbilicus est terrarum, terra prae ceteris fructifera,
quasi alter Paradisus deliciarum. Hanc redemptor humani generis
suo illustravit adventu, decoravit conversatione, sacravit passione,
morte redemit, sepultura insignivit. Haec et id genus plurima ubi
50   papa Urbanus urbano sermone peroravit, ita omnium qui aderant
affectus in unum conciliavit ut adclamarent: "Deus vult! Deus
vult."

Quod ut venerandus pontifex Romanus audivit, erectis in coelum
luminibus, Deo gratias egit et manu silentium indicens, ait:
55   "Fratres carissimi, hodie est in nobis ostensum quod Dominus
dicit per Evangelium: 'Ubi duo vel tres congregati fuerint in
nomine meo, ibi sum in medio eorum' Sit ergo vobis vox ista in
rebus bellicis militare signum, quia verbum hoc a Deo est prola-
tum. Quum in hostem fiet bellicosi impetus congressio, erit uni-
60   versis haec ex parte Dei una vociferatio: "Deus vult! Deus vult!"

---

39. **in invicem** — "each other," the reciprocal pronoun; *totius* is used for *omnis*.
46. **umbilicus** — "navel," The same metaphor was applied earlier by the Greeks to
their religious centre, Delphi. Robert's knowledge of the terrain of Palestine was
sketchy.
48. **conversatione** —"way of life"
49. **id genus** — accusative, "of this kind"
51. **Deus vult** — The usual translation given in histories is "God wills it."
57. **vox** — "word"
59. **Quum** — *cum*

The Twelfth Century

This was a century remarkable for its diversity and for the revival of culture that took place in the west. The Crusades opened up the East but the crusader kingdoms were quite short lived. The "Renaissance of the twelfth century" fueled by translations to Latin from the Arabic of Greek classics done in Sicily and Spain began to have an impact on philosophical thought. This century saw the real beginnings of the medieval universities especially at Bologna (law) and Paris (theology). Abelard, who taught at Paris, was a critical transitional personality and his liaison/marriage with Heloise has made him a tragic figure.

With the growth of the universities came the growth of secular literature and satire. The Carmina Burana is a far cry from the religious verse of the previous centuries. The twelfth century also witnessed a significant struggle between secular and religious (papal) power with the papacy under Innocent III having the upper hand at the end of the century. The acrimony of this struggle is seen in the murder of Thomas à Becket, Archbishop of Canterbury, in the cathedral and his subsequent veneration as a martyr.

Bernard of Cluny
(first half of 12th century)

Bernard of Cluny (Morlaix) was a Benedictine monk who lived in the first half of the twelfth century. His lengthy poem "De Contemptu Mundi" was widely read and greatly admired. Some of the figures and images were used by Dante. The meter is dactylic hexameter with internal rhyme.

> Urbs Syon aurea, patria lactea, cive decora
> Omne cor obruis omnibus obstruis et cor et ora.
>
> Nescio, nescio quae jubilatio, lux tibi qualis,
> Quam socialia gaudia, gloria quam specialis.
>
> 5   Laude studens ea tollere, mens mea victa fatiscit:
> O bona gloria, vincor, in omnia laus tua vicit.
>
> Sunt Syon atria conjubilantia, martyre plena,
> Cive micantia, principe stantia, luce serena.
>
> Sunt ibi pascua mitibus afflua, praestita sanctis;
> 10   Regis ibi tronus, agminis et sonus est epulantis.

---

1 and 8. **cive** — the singular is used for the plural; both are ablatives of respect

2. **omnibus** — dative of possession, "of all"; **obstruis** — "you build up," in the sense of "make joyful"

3. **jubilatio** — "jubilation"; **tibi...(sunt)** — dative of possession with *esse* understood

4. **socialia** — "brotherly"

5. **ea** — refers back to the subject of verses 3–4 (*jubilation, lux, gaudia, gloria*)

7. **Syon** — genitive; **conjubilantia** — "rejoicing together," present active participle modifying *atria*

   martyre — the singular is used for the plural

9. **mitibus...sanctis** — dative of purpose

Gens duce splendida contio candida vestibus albis;
Sunt sine fletibus in Syon aedibus, aedibus almis.

Sunt sine crimine, sunt sine turbine, sunt sine lite.
In Syon arcibus, in aeditoribus Isrealitae.

15 Pax ibi florida, pascua vivida, viva medulla;
Nulla molestia, nulla tragoedia, lacrima nulla.

O sacra potio, sacra refectio, pax animarum;
O pius, bonus, o placidus sonus, hymnus earum.

Sufficiens cibus est Deus omnibus ipse redemptis;
20 Plena refectio, propria visio cunctipotentis:

Ejus habent satis, his tamen est sitis ejus anhela,
Absque doloribus, absque laboribus, absque querela.

---

15. **medulla** — "sap"
17. **refectio** — "food"
20. **cunctipotentis** — "of the almighty"
21. **his...est** — dative of possession (*his: omnibus redemptis; ejus*: the Almighty).
    anhela — "unquenchable"

Abelard
(1079–1142)

Peter Abelard was born in Brittany and renounced his rights as the oldest son of the nobility to study philosophy. He became a famous teacher and gained reputation by applying Aristotle to theology. His philosophical works are important although they came under the critical scrutiny of Bernard of Clairvaux, who caused them to be condemned. His "star-crossed" romance with Heloise and its unfortunate outcome are well known. This particular excerpt is a notable example of male chauvinism.

from "History of my Misfortunes"

Erat quippe in ipsa civitate Parisius adolescentula quaedam nomine Heloissa, neptis canonici cuiusdam, qui Fulbertus vocabatur, qui eam quanto amplius diligebat, tanto diligentius in omnem quam poterat scientiam litterarum promoveri studuerat. Quae cum

5   per faciem non esset infima, per abundantiam litterarum erat suprema.Nam quo bonum hoc, litteratoriae scilicet scientiae, in mulieribus est rarius, eo amplius puellam commendabat, et in toto regno nominatissimam fecerat. Hanc igitur omnibus circumspectis quae amantes allicere solent, commodiorem censui in amorem

10 mihi copulare, et me id facillime credidi posse. Tanti quippe tunc

---

Both Abelard and Heloise use the correlatives *tam...quam* with the meaning "both...and." Note also the flexible meaning of the word *gratia*.

  1. **Parisius** — treated as an indeclinable noun. Here it is the genitive.
1–2. **quaedam, cuiusdam** — note the use as the indefinite article
  3. **quanto...tanto** — correlatives: "so much...that"
  5. **infima** — "the lowest" (ugliest)
  6. **bonum** — "gift," "quality"; **litteratoriae** — "literature," "letters"
6–7. **quo...eo** — correlatives, but almost enclitic in force (*i.e.* almost no translation)
  8. **hanc** — object of *copulare*, line 11
    hanc igitur ff. — a real statement of male chauvinism

nominis eram et iuventutis et formae gratia praeeminebam, ut quamcunque feminarum nostro dignarer amore, nullam vererer repulsam. Tanto autem facilius hanc mihi puellam consensuram credidi, quanto amplius eam litterarum scientiam et habere et

15 diligere noveram, nosque etiam absentes scriptis internuntiis invicem liceret praesentare, et pleraque audacius scribere quam colloqui, et sic semper iucundis interesse colloquiis.

In huius itaque adolescentulae amorem totus inflammatus, occasionem quaesivi qua eam mihi domestica et quotidiana conver-

20 satione familiarem efficerem, et facilius ad consensum traherem. Quod quidem ut fieret egi cum praedicto puellae avunculo, quibusdam ipsius amicis intervenientibus, quatenus me in domum suam, quae scholis nostris proxima erat, sub quocunque procurationis pretio susciperet; hanc videlicet occasionem praetendens

25 quod studium nostrum domestica nostrae familiae cura plurimum praepediret et impensa nimia nimium me gravaret. Erat autem cupidus ille valde, atque erga neptim suam, ut amplius semper in doctrinam proficeret litteratoriam, plurimum studiosus. Quibus duobus facile assensum assecutus sum, et quod optabam obtinui,

30 cum ille videlicet et ad pecuniam totus inhiaret, et neptim suam ex doctrina nostra aliquid percepturam crederet. Super quo vehementer me deprecatus supra quam sperare praesumerem votis meis

---

11. **nominis** — "renown"
   formae gratia — "in grace of beauty"
12. **dignarer** — "I would honor"
13–14. **tanto...quanto** — (same as above) cf. 3–4
15. **noveram** — from *nosco,* this takes indirect discourse
16. **invicem liceret praesentare** — "we could be present to each other"
18. **in...inflammatus** — "completely on fire in the love of this girl"
21. **egi** — "I arranged"
   praedicto — used as a demonstrative
22. **quatenus** — with *susciperet* introducing either indirect discourse or a noun clause
23–24. **sub quocunque procurationis pretio** — "for whatever sum he should ask"
25. **familiae** — "household"
   praepediret — "hinder"
28. **litteratoriam** — an adjective: "of literature"
   plurimum — an adverb: "very"
29. **assensum** — "agreement"
30. **inhiaret** — "was very eager for"
31. **super quo** — note ablative with *super*

accessit, et amori consuluit, eam videlicet totam nostro magisterio committens, ut quoties mihi a scholis reverso vacaret, tam in die
35 quam in nocte, ei docendae operam darem, et eam si negligentem sentirem, vehementer constringerem. In qua re quidem quanta eius simplicitas esset vehementer admiratus, non minus apud me obstupui, quam si agnam teneram famelico lupo commiteret. Qui cum eam mihi non solum docendam, verum etiam vehementer
40 constringendam traderet, quid aliud agebat quam ut votis meis licentiam penitus daret, et occasionem, etiam si nollemus, offerret, ut quam videlicet blanditiis non possem, minis et verberibus facilius flecterem? Sed duo erant, quae eum maxime a turpi suspicione revocabant, amor videlicet neptis, et continentiae meae fama
45 praeterita. Quid plura? Primum domo una coniungimur, postmodum animo. Sub occasione itaque disciplinae amori penitus vacabamus, et secretos recessus, quos amor optabat, studium lectionis offerebat. Apertis itaque libris, plura de amore quam de lectione verba se ingerebant, plura erant oscula quam sententiae. Saepius ad sinus
50 quam ad libros reducebantur manus; crebrius oculos amor in se reflectebat quam lectionis in scripturam dirigebat. Quoque minus suspicionis haberemus, verbera quandoque dabat amor, non furor; gratia, non ira, quae omnium unguentorum suavitatem transcenderent. Quid denique? Nullus a cupidis intermissus est gradus
55 amoris, et si quid insolitum amor excogitare potuit, est additum.

---

33. **consuluit** — with dative, "consult the interest of…"
34. **mihi…reverso** — "so that as often as I had time when I had returned from school"
35. **operam darem** — idiom: "I should give attention to"
35–36. **si negligentem sentirem** — "if I should find her lazy"
37–38. **non…obstupui** — "I was not amazed less"
39–40. **docendam, constingendam** — gerundive to express purpose: "to be taught…to be reproved"
40. **quam** — "than"
41. **penitus** — "totally"
43. **duo** — "two things"
45. **Quid plura?** — "What more is there to say?"
 una — "together"
46. **occasione** — "pretext"
49. **sententiae** — "sentences," a philosophic term
51–52. **minus…haberemus** — "so that we might have less suspicion"
53. **gratia** — "tenderness"

Some Hymns

The philosophical and autobiographical works of Peter Abelard are well-known. When Heloise entered the convent of the Paraclete he developed liturgies for the nuns of that community, including hymns, of which these are representative. You will note some of the peculiar spelling.

I. O Quanta Qualia

This is the most famous of his hymns used for vespers after Epiphany. "O what their joy and their glory must be" is a translation of this hymn by John Mason Neale, a well-known Victorian hymn writer.

Note how often the spelling *que* stands for *quae* and how the diphthong *ae* is simply *e* (9, 11, 19). Note also the deviation of spelling of many words from classical times.

Hymnus

O quanta, qualia sunt illa sabbata
que semper celebrat superna curia,
que fessis requies, que merces fortibus
cum erit omnia Deus in omnibus.

5   Vere Iherusalem illic est civitas,
cuius pax iugis est, summa iucunditas;
ubi non prevenit rem desiderium,
nec desiderio minus est premium.

---

1. **quanta, qualia** — "how great, what kind!" Both go with *sabbata*.
3. **fessis...fortibus** — datives: these adjectives are used as nouns
6. **jugis** — "everlasting"
7. **rem** — here the sense is "fulfillment"; the subject of **praevenit** ("overtake") is *desiderium*

Quis rex, que curia, quale palatium,
10   que pax, que requies, quod illud gaudium,
huius participes exponant glorie,
si, quantum sentiunt, possint exprimere.

Nostrum est interim mentem erigere
et totis patriam votis appetere,
15   et ad Iherusalem a Babilonia
post longa regredi tandem exilia.

Illic molestiis finitis omnibus
securi cantica Syon cantabimus
et iuges gratias de donis gratie
20   beata referet plebs tibi, domine.

Illic ex sabbato succedet sabbatum,
perpes leticia sabbatizantium,
nec ineffabiles cessabunt iubili,
quos decantabimus et nos et angeli.

25   Perhenni domino perpes sit gloria,
ex quo sunt, per quem sunt,
in quo sunt omnia: ex quo sunt, pater est;
per quem sunt, filius; in quo sunt,
patris et filii (et) spiritus. Amen.

9–10. Indirect questions after "**participes exponant**" supply the appropriate parts of
the verb "to be."
12. **quantum sentiunt** — "what they feel"
13. **nostrum est** — "it is for us"
14. **patriam** — the idea that heaven is our native land
15. Babylon was used as a metaphor for the bad aspects of the material world.
18. **Syon** — genitive
19. **de donis gratie** — "for the gift of grace"
21. **ex sabbato succedet** — "will continue from sabbath"
22. **sabbatizantium** — "of those who keep the sabbath"
23. **ineffabiles... iubili** — "unspeakable joys"

II. Est in Rama

This is the vesper hymn for the feast of the Holy Innocents (December 28th), beginning with Matthew 2:18 and quoting from Jeremiah 31:15.

Est in Rama
vox audita
Rachel flentis
super natos
5　interfectos
eiulantis

Lacerata
iacent membra
parvulorum
10　et tam lacte
quam cruore
rigant humum

His incumbens
orba parens
15　eiulando
recollecta
fovet frustra
sinu pio

20　Tundit pectus,
scindit sinus
cecus furor,
quem maternus
et humanus
facit amor

25　Interfecti
sunt invicti;
sed pro vita
meritorum
fuit nullum
30　merces multa

Merces ipsa
fuit vita,
quam et ipsi
moriendo,
35　non loquendo,
sunt confessi

The meter is trochaic.

3. **Rachel** — genitive
4. **super** — "for," "over"
6. **eiulantis** — this should be connected with *flentis* by *et*
10–11. **tam...quam** — "both...and"
28–29. **meritorum...nullum** — "nothing of merit": the idea that to get one's eternal reward one needs to do positive acts. Here, the Innocents got their reward (*merces*) by being slaughtered.

Heloise
(† 1163)

eloise, inextricably linked with Abelard, was a learned woman who became prioress of a convent of Argenteuil and abbess of the Paraclete. She died twenty-one years after Abelard.

This is an excerpt of the first letter of Heloise to Abelard after she had read "History of My Misfortunes." She addresses the letter "To her master, father, husband, and now brother, from his handmaid, daughter, wife, and now sister."

Nosti, charissime, noverunt omnes, quanta in te amiserim, et quam miserabili casu summa et ubique nota proditio meipsam quoque mihi tecum abstulerit, et incomparabiliter major sit dolor ex amissionis modo quam ex damno. Quo vero major est dolendi
5 causa, majora sunt consolationis adhibenda remedia. Non utique ab alio, sed a teipso, ut qui solus es in causa dolendi, solus sis in gratia consolandi. Solus quippe es qui me contristare, qui me laetificare, seu consolari valeas. Et solus es qui plurimum id mihi debeas, et tunc maxime cum universa quae jusseris intantum
10 impleverim, ut cum te in aliquo offendere non possem, meipsam pro jussu tuo perdere sustinerem. Et quod majus est, dictuque mirabile, in tantam versus est amor insaniam, ut quod solum appetebat, hoc ipse sibi sine spe recuperationis auferret.

---

2. **summa...proditio** — "the complete act of treachery"
4. **ex amissionis modo** — "from (on account of) the manner of the loss"
6–7. **solus sis in gratia consolandi** — "you alone can offer the grace of consolation"
8–9. **plurimum id mihi debeas** — "you owe it so much to me"
9–10. **intantum impleverim** — "I carefully fulfilled"
10–11. **meipsam pro jussu tuo perdere sustinerem** — "I gained strength by your order to destroy myself"
13. **appetebat** — the subject is *amor*
    sibi auferret — "it deprived itself"

Cum ad tuam statim jussionem tam habitum ipsa quam animum
15 immutarem, ut te tam corporis mei quam animi unicum posses-
sorem ostenderem. Nihil unquam (Deus scit) in te nisi te requisivi;
te pure, non tua concupiscens. Non matrimonii foedera, non dotes
aliquas exspectavi, non denique meas voluptates aut voluntates,
sed tuas (sicut ipse nosti) adimplere studui. Et si uxoris nomen
20 sanctius ac validius videtur, dulcius mihi semper exstitit amicae
vocabulum; aut, si non indigneris, concubinae vel scorti. Ut quo
me videlicet pro te amplius humiliarem, ampliorem apud te con-
sequerer gratiam, et sic etiam excellentiae tuae gloriam minus
laederem. Quod et tu ipse tui gratia oblitus penitus non fuisti, in
25 ea, quam supra memini, ad amicum epistola pro consolatione
directa. Ubi et rationes nonnullas, quibus te a conjugio nostro
infaustis thalamis revocare conabar, exponere non es dedignatus;
sed plerisque tacitis, quibus amorem conjugio, libertatem vincu-
lo praeferebam. Deum testem invoco, si me Augustus universo
30 praesidens mundo matrimonii honore dignaretur, totumque mihi
orbem confirmaret in perpetuo praesidendum, charius mihi et
dignius videretur tua dici meretrix quam illius imperatrix.

---

14. **habitum** — "clothing," *i.e.* from secular to religious life

17. **non tua** — "no things (possessions) of yours"

20–21. **amicae vocabulum** — "the name of mistress"

21. **si non indigneris** — "if you are not offended"

23. **gratiam** — "favor"

24. **Quod...non fuisti** — "You were not totally oblivious of that fact."

25. **epistola** — the "History of My Misfortunes," from which the previous prose passage of Abelard was taken

26–27. **a conjugio nostro infaustis thalamis** — "from our union with its unlucky wedlock": redundant, but emphatic

28. **plerisque tacitis quibus** — "but for the most part you were silent about those (reasons)"

𝕎illiam of 𝕄almesbury
(1090–1143)

𝕎illiam of Malmesbury was educated at Malmesbury Abbey and became a monk there. Among his works are: "Gesta Regum Anglorum," which covers from 449–1127, and "Gesta Pontificum Anglorum." The selection below is from the "Gesta Regum" and tells of the conduct of William II (Rufus), the second Norman king, during the siege of Mont Saint Michel. When William the Conqueror died, his son Robert got Normandy, William got England, and Henry money with which he bought a peninsula that included the nearly impregnable fortress of Mont Saint Michel. Fraternal harmony dissipated as the two ruler brothers laid siege to the younger brother.

In ea obsidione praeclarum specimen morum in rege et comite apparuit; in altero mansuetudinis, in altero magnanimitatis. Utriusque exempli notas pro legentium notitia affigam.

Egressus rex tabernaculo, vidensque eminus hostes superbum
5 inequitantes, solus in multos irruit, alacritate virtutis impatiens, simulque confidens nullum sibi ausurum obsistere. moxque occiso sub feminibus deturbatus equo, quem eo die quindecim marcis argenti emerat, etiam per pedem diu tractus est; sed fides loricae obstitit ne laederetur. Iamque miles qui deiecerat manum
10 ad capulum aptabat ut feriret, cum ille, periculo extremo territus, exclamat, "Tolle, nebulo! Rex Angliae sum!" Tremuit, nota voce iacentis, vulgus militum; statimque reverenter de terra levato

---

1. **comite** — usually means "Count" but here refers to Duke Robert
3. **notas** — "impressions," "an account"
4–5. **superbum inequitantes** — "riding proudly"
7. **feminibus** — from *femur*. The genitive can be either *femoris* or *feminis*.
8. **marcis** — a monetary unit from which German marks (DM) derive
8–9. **fides loricae** — "his trusty armor," "breastplate"
11. **tolle nebulo** — "let me go, you worthless fool"

equum alterum adducunt. Ille, non expectato ascensorio, sonipe-
dem insiliens, omnesque circumstantes vivido perstringens oculo,
15 'Quis,' inquit, 'me deiecit?' Mussitantibus cunctis, miles audacis
facti conscius non defuit patrocinio suo, dicens: "Ergo, qui te non
putarem esse regem, sed militem.' Tum vero rex placidus, vultuque
serenus, 'Per vultum,' ait, 'de Luca,' sic enim iurabat, 'meus a
modo eris, et meo albo insertus laudabilis militiae praemia
20 reportabis.' macte animi amplissime rex, quod tibi praeconium
super hoc dicto rependam? A magni quondam Alexandri non
degener gloria, qui Persam militem se a tergo ferire conatum sed
pro perfidia ensis spe sua frustratum, incolumen pro admiratione
fortitudinis conservavit.

25 Iam vero ut de mansuetudine comitis dicam. Cum obsidio eo
usque processisset ut aqua deesset obsessis, misit Henricus nuntios
comiti, qui eum de siti sua conveniant; impium esse ut eum aqua
arceant, quae esset communis mortalibus: aliter, si velit, virtutem
experiatur; nec pugnet violentia elementorum, sed virtute militum.
30 Tum ille, genuina mentis mollitie flexus, suos qua praetendebant,
laxius habere se iussit, ne frater siticulosus potu careret: quod
cum relatum regi esset, ut semper calori pronus erat, comiti dixit,

---

13. **(non) expectato ascensorio** — "not expecting anyone to mount him"
    sonipedem — "charger," "steed"
14. **perstringens** — "sweeping over"
16. **patrocinio suo** — "in his own defense"
    ergo — the sense is almost an affirmation, like "It was I"
18. **"Per vultum de Luca"** — the favorite oath of William, which refers to the "Volto Santo," a wooden image of Christ housed in the Cathedral of Lucca. The image was reputed to have been carved by Nicodemus, and finished by miraculous intervention.
19. **a modo** — "from now on"
    albo — "payroll"
    militiae — "military honor"
20. **macte animi** — "well done!"
    quod... praeconium — "what renown"
22. **gloria** — ablative. This goes with *a* at the beginning of sentence.
25–26. **eo usque** — "up to the point that"
27. **impium esse** — indirect statement, since *dicebant* is implied
28–29. **virtutem experiatur** — "let him measure his strength with military courage"
30. **praetendebant** — "were keeping guard"
31. **laxius haberes** — "to be more relaxed about it," "to conduct themselves with greater latitude"
32. **calori** — "to anger"

'Belle scis actitare guerram, qui hostibus praebes aquae copiam;
et quomodo eos domabimus si eis in pastu et in potu indulser-
35   imus?' At ille renidens illud come merito famosum verbum
emisit: 'Papae, dimitterem fratrem nostrum mori siti? Et quem
alium habebimus si eum amiserimus? Ita rex, deridens mansueti
hominis ingenium, resolvit praelium.

---

35. **come** — "courteously"

Hildegarde of Bingen
(1098–1179)

Hildegarde was one of the more remarkable figures of the Middle Ages: abbess, mystic poet, musician and counsellor to kings. Her visions are recorded in a work named "Scivias" written between 1141–51. She was never formally canonized. The sequence, a "rhythmical prose" whose Latin is quite easy, commemorates Ursula, who was said to have been a British princess, martyred with 11,000 virgins (Ursula and ten ladies-in-waiting were each accompanied by 1,000 maidens) near Cologne. The myth almost is a folk tale and the veneration of this martyr recently has been downplayed considerably. Cologne, an important city on the Rhine, seemed to have been susceptible to the medieval relic industry. The bones of the Three Kings are also found there.

O Ecclesia ó De Undecim Milibus Virginibus

O Ecclesia,
oculi tui similes saphyro sunt,
et aures tue monti Bethel,
et nasus tuus est
5   sicut mons mirre et thuris,
et os tuum quasi sonus
aquarum multarum.
In visione vere fidei
Ursula filium Dei amavit,
10 et virum cum hoc seculo reliquit,
et in solem aspexit
atque pulcherrimum iuvenem vocavit,
dicens:

---

1. **Ecclesia** — church
5. **mirre** — "of myrrh"
10. **virum** — here it means "betrothed"

In multo desiderio
15 desideravi ad te venire,
et in celestibus nuptiis tecum sedere,
per alienam viam ad te currens
velut nubes que in purissimo aere currit
similis saphiro.
20 Et postquam Ursula sic dixerat,
rumor iste per omnes populos exiit.
Et dixerunt:
innocentia puellaris ignorantie
nescit quid dicit.
25 Et ceperunt ludere cum illa
in magna symphonia,
usque dum ignea sarcina
super eam cecidit.

Unde omnes cognoscebant,
30 quia contemptus mundi
est sicut mons Bethel.
Et cognoverunt etiam
suavissimum odorem mirre et
thuris,
35 quoniam contemptus mundi
super omnia ascendit.

Tunc diabolus
membra sua invasit,
que nobilissimos mores
40 in corporibus istis occiderunt.
Et hoc in alta voce
omnia elementa audierunt,
et ante thronum Dei
dixerunt:

---

14. **in** — it is equivalent to "with." Lines 14–18 resemble passages from the Song of
   Songs
23. **innocentia** — ablative
38. **sua membra** — "his followers"
40. **istis** — "those," referring to the women

45   O! rubicundus sanguis
      innocentis agni
      in desponsatione sua
      effusus est.
      Hoc audiant omnes celi
50   et in summa symphonia
      laudent agnum Dei!
      quia guttur serpentis antiqui
      in istis margaritis
      materie verbi Dei suffocatum est.

---

47. **in desponsatione sua** — "on his betrothal." Betrothal in the Middle Ages was a church ceremony and more solemn than the actual marriage, giving the same privileges as marriage. Virgins, but expecially virgin martyrs, were considered the brides of Christ, the Lamb.
53. **in** — equivalent to "with"
54. **materie** — objective genitive followed by another objective genitive, better translated as "composed of" ("of the matter")

William Fitz Stephen
(† ca. 1190)

The Murder of St. Thomas Becket

This is a first-hand account of the death of St. Thomas Becket (1118–1170). In his youth he was somewhat dissolute, close to King Henry II and Chancellor of England, like St. Thomas More four centuries later who was Chancellor under King Henry VIII. When nominated by the King to be Archbishop of Canterbury, despite his own objections, he became a defender of the rights of the church and opposed the King. After a slim truce, Thomas' activities so enraged the King that in his anger he cried: "Who will rid me of that troublesome monk?" Some of his knights took this literally and this text is an eye-witness account of what happened. After Thomas' martyrdom, Canterbury became a place of pilgrimage where Chaucer's pilgrims hastened "the holy blisful martir for to seke." T. S. Eliot's "Murder in the Cathedral" is based on this account.

William Fitz Stephen wrote the most useful biography of Thomas Becket. He was in Becket's service until his death and gives an accurate statement of the differences between Becket and the King. His biography gives a description of life in London and is an important source for our knowledge of social life in that city at a critical point in its history.

The Latin is quite direct and should not give difficulty.

> Quid nisi timor et tremor venerunt super nos monachos, clericos et socios archiepiscopi? Sed bonus ille Thomas contemptor mortis erat; quippe quae est sanctis viris portus et aeternitatis ingressus. Insuper et securum se sanctus homo gerebat, quasi gaudens se
> 5 nactum causam moriendi pro iustitia et libertate et causa ecclesiae suae; et quasi cupiens dissolvi et esse cum Christo...

---

3. **portus** — "harbor"
4. **insuper** — " besides"
5. **nactum** — from *nanciscor*
6. **dissolvi** — "to be destroyed"

In claustrum monachorum cum venissemus, voluerunt monachi ostium post eum occludere. Ille aegre ferens non sustinuit, et lento passu postremus vadit, omnes agens ante se, quasi oves pastor
10 bonus. Equidem timor, quem caritas Dei foras miserat, eius nec in gestu nec in incessu poterat notari. Semel quidem super dexteram oculos retorsit; forte si viderat illos regales vestigio eius imminentes; forte ne aliquis relictus pessulum ostii obderet...

Iturus ad aram superiorem, ubi missas familiares et horas solebat
15 audire, iam quattuor gradus ascenderat, cum ecce ad ostium claustri, quo veneramus, primus adest Reginaldus Ursonis loricatus, ense evaginato, et vociferans, "Nunc huc ad me, homines regis!" Nec multo post adduntur ei tres praedicti socii eius, similiter loricis contecti corpora et capita praeterquam oculos
20 solos, ensibus nudatis.

Visis, inquam, istis armatis, voluerunt monachi ostium ecclesiae obfirmare: sed bonus homo, fiduciam habens in Domino, neque expavescens repentino terrore irruentes, e gradibus descendit regressus, prohibens ostium ecclesiae clauderetur, et dicens,
25 "Absit ut de ecclesia Dei castellum faciamus; permittite omnibus intrare qui ecclesiam Dei intrare velint: fiat voluntas Dei."

Illo tunc a gradibus descendente versus ostium, ne clauderetur, Joannes Saresberiensis et alii eius clerici omnes, praeter

---

8. **aegre ferens** — "being annoyed"
9. **oves** — accusative plural
10. **foras** — an adverb
12. **regales...imminentes** — "those King's men approaching" (plus dative)
14. **aram superiorem** — "the high altar"
    missas familiares et horas — "the community masses and hours"
16. **claustri** — "of the cloister"
    loricatus — "clad in mail"
17. The quotation is a command. Supply the verb "come!"
19. **praeterquam** — "except for"
24. **clauderetur** — subjunctive clause of preventing after *prohibens*
25. "**absit ut**" introduces a clause that has about the same force as a negative command.
28. **Johannes Saresberiensis** — John of Salisbury, a famous medieval scholar and churchman

Robertum canonicum et Willelmum filium Stephani et
30 Edwardum Grim, qui novus ad eum venerat, praesidia captantes,
et se in tuto collocare curantes, relicto ipso alii altaria, alii latibula
petiverunt.

Postea clamavit aliquis, "Ubi est ille proditor?" Archiepiscopus,
suam in patientia animam possidens, ad verbum illud non respondit.
35 Aliquis item: "Ubi est archiepiscopus?" Ille: "Ecce ego, non
proditor, sed presbyter Dei; et miror, quod in tali habitu ecclesiam
Dei ingressi estis. Quid placet vobis?" Unus sicarius, "Ut moriaris;
non potest, ut vivas ulterius."

At ille: "Et ego in nomine Domini mortem suscipio, et animam
40 meam et ecclesiae causam Deo et beatae Mariae et sanctis huius
ecclesiae patronis commendo. Absit ut propter gladios vestros
fugiam: sed auctoritate Dei interdico ne quempiam meorum tan-
gatis."

Quidam eum plano ense caedebat inter scapulas, dicens, "Fuge;
45 mortuus es." Ille immotus perstitit, et cervicem praebens, se
Domino commendabat; et sanctos archiepiscopos martyres in ore
habebat, beatum Dionysium et sanctum Aelfegum
Cantuariensem.

Archiepiscopus a capite cruorem defluentem bracchio detergens
50 et videns, gratias Deo agebat, dicens, "In manus tuas, Domine,
commendo spiritum meum." Datur in caput ejus ictus secundus,
quo et ille in faciem concidit, positis primo genibus, coniunctis et

---

29. **Willelmum filium Stephani** — the author, William Fitz Stephen
30. **novus** — "newly," "recently"
35. **Ecce ego** — "Here I am!"
37. **Quid placet vobis?** — "What do you want?"
42. **quempiam meorum** — "any of my people"
44. **plano ense** — "with the flat of his sword"
47. **Dionysium** — St. Denis; **Aelfegum** — St. Aelfege (952–1012), an earlier archbishop of Canterbury captured and killed by the Danes during a drunken banquet
50–51. This is a quote from Luke 23:46, the last words of Jesus dying on the cross.
52. **quo** — "with this (blow)"

extensis ad Deum manibus, secus aram, quae ibi erat, sancti
Benedicti; et curam habuit vel gratiam ut honeste caderet, pallio
55 suo coopertus usque ad talos, quasi adoraturus et oraturus. Super
dextram cecidit, ad dextram Dei iturus.

53–54. **Sancti Benedicti** — the altar was dedicated to St. Benedict
 55. **quasi** — "as if"

Geoffrey of Monmouth
(1100–1154)

History of the Kings of Britain

Geoffrey of Monmouth was the father of Arthurian Romance, and probably a Benedictine monk. The history of Arthur is based on the slightest historical evidence. The *Ecclesiastical History* of Bede and the chronicle of Nennius in the ninth century are the principal sources used by Geoffrey for his history of the kings. There is the possibility that he also had access to some Welsh sources that have now been lost.

The Coronation of King Arthur

Omnibus denique in urbe congregatis, sollemnitate instante, archipraesules ad palatium ducuntur ut regem diademate regali coronarent. Dubricius ergo, quoniam in sua dioecesi curia tenebatur, paratus ad celebrandum obsequium, huius rei curam
5   suscepit. Rege tandem insignito, ad templum metropolitanae sedis ornate conducitur; a dextro enim et a laevo latere due archipontifices ipsum tenebant. Quattuor autem reges, Albaniae videlicet atque Cornubiae Demetiae et Venedociae, quorum illud ius fuerat, quattuor aureos gladios ante ipsum ferentes, praeibant. Conventus
10 quoque multomodorum ordinatorum miris modulationibus

---

2. **archipraesul** — "archbishop"; *archipontifex* is also used
3. **in sua dioecesi** — "in his diocese"; **curia** — "court"
4. **obsequium** — "solemnity" (of obedience)
5. **Rege…insignito** — "the King dressed in royal garb"
   metropolitanae sedis — "the cathedral"
7–8. **Albaniae** — Scotland; **Cornubiae** — Cornwall; **Demetiae** — South Wales; **Venedociae** — North Wales
10–11. **multomodorum…praecinebat** — "a gathering of many types of those in orders sang before him with wondrous melodies"

praecinebat. Ex alia autem parte reginam suis insignibus laureatam
archipraesules atque pontifices ad templum Deo dicatarum puellarum conducebant. Quattuor quoque praedictorum regum reginae
quattuor albas columbas de more praeferebant. Mulieres autem
15   quae aderant illam cum maximo gaudio sequebantur. Postremo
peracta processione tot organa, tot cantus in utrisque fiunt templis
ita ut prae nimia dulcedine, milites qui aderant nescirent quod
templorum prius peterent. Catervatim ergo nunc ad hoc, nunc ad
illud ruebant; nec si totus dies celebrationi deditus esset, taedium
20   aliquod ipsis generaret. Divinis tandem obsequiis in utroque cele-
bratis, rex et regina diademata sua deponunt assumptisque levioribus
ornamentis, ille ad suum palatium cum viris, haec ad aliud cum
mulieribus epulatum incedunt. Antiquam namque consuetudinem
Troiae servantes, Britones consueverunt mares cum maribus,
25   mulieres cum mulieribus festivos dies separatim celebrare.
Collocatis postmodum cunctis, ut singulorum dignitas expetebat,
Caius dapifer, herminio ornatus, mille vero nobilissimis iuvenibus
ornatus, comitatus est; quo omnes, herminio induti, fercula cum
ipso ministrabant. Ex alia vero parte Beduerum pincernam totidem
30   vario amicti sequuntur; qui in scyphis diversorum generum mul-
timoda pocula cum ipso distribuebant. In palatio quoque reginae
innumerabiles ministri diversis ornamentis induti obsequium suum
praestabant, morem suum exercentes; quem si omnino describere
pergerem, nimiam historiae prolixitatem generarem. Ad tantum
35   etenim statum dignitatis Britannia tunc provecta erat quod copia
divitiarum, luxu ornamentorum, facetia incolarum cetera regna
excellebat.

---

11 and 29. **Ex alia...parte** — "in another place"

12. **dicatarum puellarum** — "of the maidens dedicated to God"

16. **tot...tot** — "so lovely the playing and singing, that"

17–18. **quod...peterent** — "which of the churches to enter first"

23. **epulatum** — supine: "to banquet"

26. **collocatis...cunctis** — "when all had sat down at table"
    dignitas — "rank"

27. **Caius dapifer** — "Sir Kay, the seneschal"
    herminio — "ermine"

29. **Beduerum pincernam** — "Bedevere, the Butler"

30. **vario** — "in different colors"

34. **nimiam...generarem** — "I would go on at too great length"

35–36. **copia, facetia** — ablative; *facetia* in Classical Latin is in the plural. This sentence expresses the ideals of courtly love.

Ḣugḣ Primas
(ca. 1150)

Little is known of this poet except what can be learned from his poetry celebrating wine, women and gambling. He lived in France—Paris and Orleans—and lived by the patronage of important churchmen. His work varies greatly and can be quite abrasive as the excerpts indicate. The rhyme often is as strange as Ogden Nash ("The Bronx, no thonx!").

The "Cloak Poems"

A. "Dissing" the Bishop

Pontificum spuma, faex cleri, sordida struma,
2   qui dedit in bruma mihi mantellum sine pluma!

Poems about cloaks were around since the time of Martial. Since they were pricey items and needed to ward off the cold, poets often begged shamelessly for them.

2. **sine pluma** — "without lining" (of down)

B. A Bad Cloak

'Hoc indumentum tibi quis dedit? an fuit emptum?
estne tuum?'—'nostrum. Sed qui dedit, abstulit ostrum.'—
'quis dedit hoc munus?'—'praesul mihi praebuit unus.'—
quid valet in bruma chlamys absque pilo, sine pluma?
5 cernis adesse nives, moriere gelu neque vives.'

C. His Dialogue with his Cloak

'Pauper mantelle, macer, absque pilo, sine pelle,
si potes, expelle boream rabiemque procellae!
sis mihi pro scuto, ne frigore pungar acuto!
per te posse puto ventis obsistere tuto.' —
5 tunc ita mantellus: 'mihi nec pilus est neque vellus,
sum levis absque pilo, tenui sine tegmine filo.
Te mordax aquilo per me feriet quasi pilo.
Si notus iratus patulos perflabit hiatus,
stringet utrumque latus per mille foramina flatus.' —
10 'frigus adesse vides.' — 'video, quia frigore strides,
sed mihi nulla fides, nisi pelliculas chlamydi des.
Scis, quid ages, Primas? Eme pelles, obstrue rimas!
Tunc bene depellam iuncta mihi pelle procellam.
Compatior certe, moveor pietate super te
15 et facerem iussum, sed Iacob, non Esau sum.'

---

2. **nostrum** — "it is ours"
   ostrum — sense is somewhat oblique, but refers to the stuffing or lining of the cloak
4. **absque pilo** — "without fur" (hair)

Note the play on words — *pilus,* "hair" or "fur"; *pilum,* "dart"

5. The cloak is speaking. **vellus** — "pelt, fleece"
8. **perflabit** — "blow through"
9. **stringet utrumque latus...flatus** — "the blast will lay waste both sides of you"
10. **strides** — "you shudder"
15. This line refers to Genesis 27:11 and Jacob being smooth-skinned and Esau hairy when Jacob received the blessing of his father Isaac by deceit.

The Archpoet
(1130–1165)

The Archpoet, whose real name is unknown, was from the Rhineland and probably from a knightly family. He was sponsored by Reginald of Dassel, Archbishop Elector of Cologne. The "confession," his most famous poem, is a skillful celebration of wine, women and gambling. The metre is essentially trochaic, but can be sung to the tune of the Christmas Carol "Good King Wenceslaus."

A. The Archpoet's Confession

Aestuans intrinsecus ira vehementi
in amaritudine loquor meae menti:
factus de materia levis elementi
folio sum similis de quo ludunt venti.

5   Cum sit enim proprium viro sapienti
supra petram ponere sedem fundamenti,
stultus ego comparor fluvio labenti
sub eodem aere numquam permanenti.

Feror ego veluti sine nauta navis,
10   ut per vias aeris vaga fertur avis.
non me tenent vincula, non me tenet clavis.
quaero mei similes et adiungor pravis.

---

1. **intrinsecus** — "deeply within"
2. **in amaritudine** — "in bitterness"
4. **de quo** — "with which"
5–6. cf. Matthew 7:24 about the man who built the foundation of his house on rock
5. **proprium** — with dative, "proper"
8. **aere** — "sky" *i.e.* "location"
12. **mei** — note the genitive instead of the dative after *similes* "people similar"
    pravis — in the plural this means "the depraved," "criminal element"

Mihi cordis gravitas res videtur gravis,
iocus est amabilis dulciorque favis,
15 quidquid Venus imperat, labor est suavis,
quae numquam in cordibus habitat ignavis.

Via lata gradior more iuventutis,
implico me vitiis, immemor virtutis
voluptatis avidus magis quam salutis,
20 mortuus in anima curam gero cutis.

Praesul discretissime, veniam te precor:
morte bona morior, dulci nece necor,
meum pectus sauciat puellarum decor,
et quas tactu nequeo, saltem corde moechor.

25 Res est arduissima vincere naturam,
in aspectu virginis mentem esse puram;
iuvenes non possumus legem sequi duram
leviumque corporum non habere curam.

Quis in igne positus igne non uratur?
30 quis Papiae demorans castus habeatur,
ubi Venus digito iuvenes venatur,
oculis illaqueat, facie praedatur?

---

13. **res...gravis** — this is a predicate nominative with *videtur*
14. **dulcior favis** — a favorite phrase in the Old Testament
17. **gradior** — a verb. The "*via lata*" is mentioned in Matthew 7:13.
20. **curam gero cutis** — "I take care of my own skin"
21. **discretissime** — "most distinguished"
24. **moechor** — the use is stronger and far more vulgar than will appear in your dictionary
26. **mentem esse puram** — "to be pure in mind"
28. **levis** — the sense is "beautiful" or "willowy"
30. **Papia** — "Pavia," a university town
    castus — predicate nominative after *habeatur,* which here means "is considered"
31. Note the pun on the word for love *(venus)* and the word "to hunt." Venison is deer meat.
32. **praedatur** — "she ravishes"

Si ponas Hippolytum hodie Papiae,
non erit Hippolytus in sequenti die:
35   Veneris in thalamos ducunt omnes viae,
non est in tot turribus turris Ariciae.

Secundo redarguor etiam de ludo,
sed, cum ludus corpore me dimittat nudo
frigidus exterius, mentis aestu sudo,
40   tunc versus et carmina meliora cudo.

Tertio capitulo memoro tabernam,
illam nullo tempore sprevi neque spernam,
donec sanctos angelos venientes cernam,
cantantes pro mortuis "requiem aeternam."

45   Meum est propositum in taberna mori,
ut sint vina proxima morientis ori.
tunc cantabunt, laetius angelorum chori:
"sit Deus propitius huic potatori!"

---

33. **Hippolytus** — a male model of chastity. In the tragedy of the same name by Euripides, he is devoted to Artemis, the virgin goddess of the chase.
 Papiae — locative case
36. **Aricia** — There is a textual problem here, but in the *Aeneid* VII, 661 when Hippolytus came to the earth a second time, Aricia was his wife.
37. **redarguor...de ludo** — "I am accused of gambling"
39. **exterius** "on the outside"
40. **cudo** — "I write," "compose," "hammer out"
41. **tertio capitulo** — "in the third place"
 tabernam — "tavern," "bar"
42. **illam** — refers to *tabernam*
44. **"Requiem aeternam"** — the opening words of the mass for the dead
48. **potatori** — "drunkard," a substitution for *peccatori* in the scripture

Poculis accenditur animi lucerna,
50 cor imbutum nectare volat ad superna.
mihi sapit dulcius vinum de taberna,
quam quod aqua miscuit praesulis pincerna.

Ecce meae proditor pravitatis fui,
de qua me redarguunt servientes tui.
55 sed eorum nullus est accusator sui,
quamvis velint ludere saeculoque frui.

Iam nunc in praesentia praesulis beati
secundum dominici regulam mandati
mittat in me lapidem, neque parcat vati,
60 cuius non est animus conscius peccati.

Sum locutus contra me, quicquid de me novi,
et virus evomui, quod tam diu fovi.
vita vetus displicet, mores placent novi;
homo videt faciem, sed cor patet Iovi.

65 Iam virtutes diligo, vitiis irascor,
renovatus animo spiritu renascor,
quasimodo genitus novo lacte pascor,
ne sit meum amplius vanitatis vas cor.

---

49. **poculis** — "by cups" (of wine)
50. **ad superna** — "to the heavens," "upwards"
52. **praesulis pincerna** — the bishop's steward, who mixed the wine. Bishops of important sees were well known for the good quality of their food and wine.
56. **saeculo** — "worldly things," "the world," ablative after *frui*.
58. "according to the rule of the Lord's command"
59. **mittat...lapidem** — cf. John 8:7
62. **virus** — this is a neuter noun
63. **vetus** — an irregular adjective agreeing with *vita*
64. **Iovi** — "to God"
68. **quasimodo genitus** — the beginning words of the mass for the first Sunday after Easter when all infants born during Lent were baptized. The Hunchback of Notre Dame got his name from this introit.

Electe Coloniae, parce paenitenti,
70 fac misericordiam veniam petenti
et da paenitentiam culpam confitenti!
feram quicquid iusseris animo libenti.

Parcit enim subditis leo rex ferarum
et est erga subditos immemor irarum;
75 et vos idem facite, principes terrarum!
quod caret dulcedine nimis est amarum.

B. Another Cloak Poem

 his poem is also dedicated to his patron, Reginald of Dassel, Archbishop of Cologne.

'Omnia tempus habent,' et ego breve postulo tempus.
ut possim paucos praesens tibi reddere versus,
Electo sacro, praesens in tegmine macro,
4 virgineo more non haec loquor absque rubore.

---

69. **electe** — "elector," vocative, addresses Reginald. The Archbishop of Cologne was one of the seven electors of the Holy Roman Emperor. The others were the archbishops of Mainz and Trier, the king of Bohemia, the Count Palatine of the Rhine, and the Duke of Saxony.
   paenitenti — "a penitent"
70. **veniam petenti** — "to him who seeks pardon"
73. **subditis** — "his subjects"
76. **nimis est amarum** — "is too bitter"

1. a reference to Ecclesiastes 3, "To every thing there is a season"
3. **electo sacro** — in apposition to *tibi*, line 2. Refers to Reginald the Elector of Cologne.
   macro — "threadbare"

5   Vive, vir immense! tibi concedit regimen se,
consilio cuius regitur validaque manu ius;
pontificum flos es, et maximus inter eos es.
incolumis vivas, plus Nestore consilii vas!

Vir pie, vir iuste, precor, ut moveam precibus te,
10   vir ratione vigens, dat honorem tota tibi gens;
amplecti minimos magni solet esse viri mos:
cor miseris flecte, quoniam probitas decet haec te!

Pauperie plenos solita pietate fove nos
et Transmontanos, vir Transmontane, iuva nos!
15   nulla mihi certe de vita spes nisi per te.

Frigore sive fame tolletur spiritus a me,
asperitas brumae necat horriferumque gelu me,
continuam tussim patior, tanquam phtisicus sim,
sentio per pulsum quod non a morte procul sum.

20   Esse probant inopes nos corpore cum reliquo pes;
unde verecundo vultu tibi verba precum do,
in tali veste non sto sine fronte penes te:
liber ab interitu sis et memor esto mei tu!

---

5. **immense** — the sense is "without limits," "mighty in power"

8. Nestor was the venerable King of Pylos whose wisdom was often sought by Greek leaders in the Trojan War.

14. **Transmontanos** — people beyond the Alps from Italy. The Archpoet and Reginald were Germans.

18. **phtisicus** — "like one with consumption"

22. **sine fronte** — "without shame"

William of Tyre
(ca. 1130–1184)

William II, Archbishop of Tyre, was born in Jerusalem. He studied in Europe and returned to the east in 1165. He served as a diplomat for the Crusader kingdoms and was appointed chancellor of the kingdom of Jerusalem in 1174. The next year he was elected Archbishop of Tyre. His *History of Things Done in Regions Across the Sea* is an indispensable source of the history of the Crusader kingdoms of "Outremer."

The Capture of Jerusalem

Ponte igitur sic ordinato, primus omnium vir inclitus et inlustris dux Godefridus, reliquos ut subsequantur exhortans, cum fratre suo Eustachio urbem ingressus est; quem continuo subsecuti sunt Ludolfus et Gislebertus, uterini fratres, viri nobiles et perpete
5   digni memoria, ortum habentes de civitate Tornaco, consequenter vero infinita tam equitum quam peditum manus, ita ut nec machina nec pons praedictus plures posset sustinere. Videntes ergo hostes quod nostri murum iam occupaverant et dux suum iam introduxerat vexillum, turres deserunt et moenia, ad vicorum
10   angustias se conferentes. Porro nostri videntes quod dux et maxima pars nobilium turres sibi vindicaverant, iam non exspectato per machinam ascensu, scalas certatim ad murum applicant, quarum illis maxima erat copia.

Ingressi sane statim post ducem sunt alii plures. Quos omnes
15   postquam dux cognovit se infra urbem recepisse incolumes, quosdam ex eis ad portam septentrionalem, quae hodie dicitur

---

1. **ponte ordinato** — a bridge had been made from a movable tower to the city wall
2. **dux Godefridus** — Godfrey of Bouillon
4. **uterini** — "born of the same mother," "wombmates"
5. **Tornaco** — Tournai, in Belgium

Sancti Stephani, cum honesto dirigit comitatu, ut portam aperiant et populum introducant deforis exspectantem; qua sub omni celeritati reserata, ingressus est passim et sine delectu universus exercitus.
20 Erat autem feria sexta et hora nona; videturque procuratum divinitus, ut qua die et qua hora pro mundi salute in eadem urbe passus est Dominus, eadem et pro Salvatoris gloria fidelis decertans populus desiderii sui felicem impetraret consummationem.

Porro dux et qui cum eo erant per vicos civitatis et plateas, strictis
25 gladiis, clipeis tecti et galeis, iuncto agmine discurrentes, quotquot de hostibus reperire poterant, aetati non parcentes aut condicioni, in ore gladii indifferenter prosternebant. Tantaque erat ubique interemptorum strages et praecisorum acervus capitum ut iam nemini via pateret aut transitus, nisi per funera defunctorum.
30 Iamque paene ad urbis medium diversis itineribus, stragem operantes innumeram, nostri principes pervenerant et subsequentis populi infinita multitudo, infidelium cruorem sitiens et ad caedem omnino proclivis, cum comes adhuc Tolosanus et principes alii qui cum eo erant, circa montem Sion decertantes, urbem captam
35 et nostrorum victoriam ignorabant. Sed excito de nostrorum introitu et strage civium ingenti clamore et horrendo sonitu, admirantibus qui in ea parte resistebant civibus quidnam sibi vellet clamor insolitus et vociferantis populi tumultus, cognoverunt urbem violenter effractam et nostrorum intromissas legiones;
40 unde, relictis turribus et muro, ad diversa fugientes loca saluti propriae consulere satagebant. Hi quoniam praesidium civitatis in vicino constitutum erat, ex parte plurima se in arcem contulerunt. At vero exercitus, pontem libere et sine difficultate super murum

---

17. **honesto** — "enough," "sufficient," "respectable"
18. **sub** — "with"
19. **passim...delectu** — *i.e.* randomly
27. **in ore gladii** — "with the edge of the sword"
   indifferenter — "indiscriminately," "without distinction"
29. **funera** — "bodies"
33. **comes Tolosanus** — Count Raymond of Toulouse
35. **de** — "as a result"
39. **violenta effractam** — "had been taken by storm"
41. **praesidium** — "the citadel"

45 aptantes et scalas applicantes moenibus, certatim in urbem, nemine obstante, sunt ingressi. Intromissi autem portam australem, quae illis erat contermina, statim aperuerunt, ut reliquus sine difficultate populus admitteretur. Ingressus est igitur vir insignis et strenuus, Tolosanus comes, et alii multi nobiles, quorum numerum vel nomina nulla nobis tradit historia. Hi omnes una-

50 nimiter, iunctis agminibus, ad unguem armati, per mediam urbem discurrentes, stragem operati sunt horrendam; nam qui ducem et suos effugerant, putantes se mortem quocumque modo declinasse si ad alias se conferrent fugiendo partes, hos sibi habentes obviam, occumbebant periculosius, et Scyllam evitantes incurrebant

55 Charybdim. Tanta autem per urbem erat strages hostium tantaque sanguinis effusio ut etiam victoribus posset taedium et horrorem ingerere.

---

50. **ad unguem** — "to the teeth"

54–55. **Scyllam...Charybdim** — "avoiding Scylla to fall upon Charybdis." The reference is from Book XII of the *Odyssey* and Book III of the *Aeneid*. The medieval equivalent of "between a rock and a hard place."

Walter of Chatillon
(1135–1175)

alter was born at Lille and studied at Paris and Reims, where he later was appointed a canon. Subsequently, he became a teacher at Chatillon. He was a good Latinist and part of the humanist circle of King Henry II.

A Pastorale

> Declinante frigore,
> Picto terrae corpore
> Tellus sibi credita
> Multo reddit faenore.
> 5   Eo surgens tempore
> Nocte jam emerita
> Resedi sub arbore.
>
> Desub ulmo patula
> Manat unda garrula,
> 10   Ver ministrat gramine
> Fontibus umbracula,
> Qui per loca singula
> Profluunt aspergine
> Virgultorum pendula.

---

3. **sibi credita** — "those things entrusted to it" (*tellus*)
6. **nocte emerita** — "since night had completed its service"
8. **desub** — "from under"
9. **unda** — "stream"
10. **ministrat** — "provide"
12. **singula** — here it means "several"
14. **pendula** — "the overhanging parts"

15   Dum concentus avium
Et susurri fontium
Garriente rivulo
Per convexa montium
Removerent taedium,
20   Vidi sinu patulo
Venire Glycerium.

Clamis multiphario
Nitens artificio
Dependebat vertice
25   Cotulata vario.
Vestis erat Tyrio
Colorata murice
Opere plumario.

Frons illius adzima,
30   Labia tenerrima.
'Ades,' inquam, omnium
Mihi dilectissima,
Cor meum et anima,
Cujus formae lilium
35   Mea pascit intima.

---

18. **per convexa** — "through the hollows"
21. **Glycerium** — the name assigned to the young woman
22. **clamis (chlamys)** — "an upper garment"
22–23. **multiphario...artificio** — "with complex art"
25. **cotulata** — "striped"
    vario — an adverb
28. **opere plumario** — "embroidered"
29. **adzima** — "sinless," "pure"
31. **ades** — equivalent of an imperative
34. **formae lilium** — "form like a lily"

In te semper oscito,
Vix ardorem domito;
A me quicquid agitur,
Lego sive scriptito,
40   Crucior et merito,
Ni frui conceditur
Quod constanter optito.

Ad haec illa frangitur,
Humi sedet igitur,
45   Et sub fronde tenera.
Dum vix moram patitur,
Subici compellitur.
Sed quis nescit cetera?
Praedicatus vincitur.

---

36. **oscito** — an unusual application of the verb which usually means "gape"; here it means "I yearn"
43. "To these words she is broken"
49. **Praedicatus vincitur** — "what is shown is overcome," or, as Raby insists, "description is surpassed"

Joachim of Flora
(ca. 1145–1202)

Joachim of Flora was an apocalyptic theologian, born of noble family in Calabria. He divides human history into the past, present and future and relates it to the Trinity, as the passage indicates, which is taken from the *Concordia Novi ac Veteris Testamenti.* He criticized the corruption of the church, and wrote predicting the end of the temporal realm and the beginning of a new spiritual church. His doctrine was condemned by the Lateran Council of 1215. His thought, however, has affected other apocalyptic thinkers and may be more prominent in the present millennium.

Debemus ergo in labore et gemitu in hiis sacris diebus resistere affligentes, ut scriptum est animas nostras quousque quadraginta dies, hoc est generationes totidem et duo quantum in maiori luctu et afflictione pertranseant: ut ad sacra illius Pasche solemnia per-
5   venire possimus et cantare domino canticum novum quod nobis abstulit, ut iam diximus, primus septuagesimae dies canticum letitie quod est alleluia. Nec mirum si hec sacra mysteria clausa hactenus sub velamine nobis iunioribus tempore incipiunt aperiri. Cum illa generatio agatur in extremis quae designatur in sacro
10   quadragesimo die. In quo velum illud mysteriale quod pendet a conspectu altaris tollitur a facie populi. Ut qui hactenus "per speculum in enigmate" amodum "facie ad faciem" videre incipiant veritatem: euntes ut ait Apostolus "de claritate in claritatem…." Tres denique mundi status nobis ut iam scripsimus in

---

4. **Pasche** — genitive; during Lent, the Alleluia is omitted in all services of the church

5. **cantare domino** — Psalm 98:1

6. **septuagesima** — three weeks before the beginning of Lent, which was a time of semi-penance

9. **illa generatio in extremis** — "this last generation"

11–12. **per speculum,** etc. — I Corinthians 13:12

13. **Apostolus** — Paul

15   hoc opere divine nobis pagine sacramenta commendant: primum
in quo fuimus sub lege, secundum in quo fuimus sub gratia, ter-
tium quod e vicino expectamus sub ampliori gratia… Primus ergo
status in scientia fuit, secundus in potestate sapientie, tertius in
plenitudine intellectus. Primus in servitute servili, secundus in
20   servitute filiali, tertius in libertate. Primus in flagellis, secundus
in actione, tertius in contemplatione. Primus in timore, secundus
in fide, tertius in charitate. Primus status servorum est, secundus
liberorum, tertius amicorum. Primus senum, secundus iuvenum,
tertius puerorum. Primus in luce siderum, secundus in aurora, ter-
25   tius in perfectio die. Primus in hieme, secundus in exordio veris,
tertius in estate. Primus protulit urticas, secundus rosas, tertius
lilia. Primus herbas, secundus spicas, tertius triticum. Primus
aquam, secundus vinum, tertius oleum. Primus pertinet ad septu-
agesimam, secundus ad quadragesimam, tertius ad festa
30   paschalia. Primus itaque status pertinet ad Patrem qui auctor est
omnium… secundus ad Filium qui assumere dignatus est limum
nostrum… tertius ad Spiritum Sanctum de quo dicit Apostolus:
"Ubi spiritus domini, ibi libertas." Et primus quidem status signi-
ficatus est in tribus illis hebdomadis que precedunt ieiunium
35   quadragesimale, secundus in ipsa quadragesima, tertius in tempore solemni quod vocatur paschale. Quocirca si mysterium veli
positi inter populum et altare non segniter intuemur, intellegimus
non absque circa die quadragesimo, in quo et conficitur sanctum
chrisma, eicitur a conspectu altaris ut iam non videant fideles
40   altare ipsum quasi per speculum in enigmate, sed magis facie ad
faciem. Nimirum quia in tempore isto in quo agitur quadragesima
generatio oportet auferri velamen litere a cordibus multorum.

---

17. **e vicino** — "in the vicinity," or "which is near"
33. **Ubi… libertas** — II Corinthians 3:17

Jocelin of Brakeland
(1150–1202)

Jocelin was a monk of the abbey of St. Edmundsbury (Bury St. Edmunds). He began in the mid 1190s to write a chronicle of the abbey. The abbey was an important one since it contained the relics of King St. Edmund of East Anglia, who was martyred in 869 by the Danes. The moving of the relics in 1198 is described elsewhere in this chronicle.

Jocelin was part of the abbey's middle management team, guestmaster and chaplain to Abbot Samson. At some level, the chronicle tells of some of his disappointments.

A Monastic Interregnum

Vacante abbatia prior super omnia studuit ad pacem conservandam in conventu et ad honorem ecclesiae conservandum in hospitibus suscipiendis, neminem volens turbare, neminem ad iracundiam provocare, ut omnes et omnia in pace posset conservare.

* * *

5   Samson subsacrista, magister super operarios, nihil fractum, nihil rimatum, nihil fissum, nihil inemendatum reliquit pro posse suo; unde conventum et maxime claustrales sibi conciliavit in gratiam. In

---

1. **prior** — the second-in-command or executive officer of a monastery
5. **subsacrista** — "subsacristan." In the medieval monastery this was an important job, almost like the plant manager.
6. **inemendatum** — "imperfect," "not repaired"
   pro posse suo — "in accordance with his ability," "as best he could"
   claustrales — "cloister monks"

diebus illis chorus noster fuit erectus, Samsone procurante, historias picturae ordinante et versus elegiacos dictante. Attractum fecit
10 magnum de lapidibus et sabulo ad magnam turrim ecclesiae construendam. Et interrogatus unde denarios haberet ad hoc faciendum respondit quosdam burgenses dedisse ei occulte pecuniam ad turrim aedificandam et perficiendam. Dicebant tamen quidam fratres nostri quod Warinus, monachus noster, custos feretri, et Samson
15 subsacrista communi consilio surripuerunt quasi furtive portionem aliquam de oblationibus feretri ut eam in usus necessarios ecclesiae et nominatim ad aedificationem turris expenderet, hac ratione ducti quia videbant quod oblationes in usus extraordinarios expendebantur ab aliis, qui, ut verius dicam, eas furabantur. Et ut
20 tam felicis furti sui suspicionem tollerent, praenominati duo viri truncum quendam fecerunt, concavum et perforatum in medio vel in summo et obseratum sera ferrea; et erigi fecerunt in magna ecclesia iuxta ostium extra chorum in communi transitu vulgi, ut ibi ponerent homines elemosinam suam ad aedificationem turris.

* * *

25 Accepto itaque consilio qualiter irruerent in Samsonem inimici vel adversarii eius, convenerunt Robertum de Cokefeld et socium eius, qui custodes erant abbatiae, et induxerunt eos ad hoc quod illi prohibuerant ex parte regis ne aliquis aliquod opus vel aliquod aedificium faceret quamdiu abbatia vacaret; sed potius denarii ex
30 oblationibus colligerentur et conservarentur ad faciendam solutionem alicuius debiti.

---

8. **chorus** — the front part of the church where the choir monks sang; usually blocked off by a screen to shield the monks from the winter's cold. The screen contained biblical scenes and appropriate texts. *ordinante* and *procurante* are ablative absolutes.

8–9. **historias picturae** — "history portrayed," probably scenes from the Bible.

14. **feretri** — "of the reliquary" (of St. Edmund)

16. **oblationibus** — "from the offerings (gifts)"

18. **in usus extraordinarios** — "for irregular purposes"

21. **truncum** — "trunk," "box"

22. **sera** — "lock"

26. **convenerunt** — "they had a meeting with"

27–28. **quod illi prohibuerant** — "that they prevent"

30. **ad faciendam solutionem** — "to make payment"

The Thirteenth Century

The thirteenth century, called "The Greatest of All Centuries" by one enthusiast, began with the pontificate of Innocent III under whom papal power reached its highest point and the papal bureauracy became the most efficient in Europe. The growth of papacy was helped by the establishment of the Franciscans and Dominicans, the "Mendicant Orders" whose allegiance was to the pope rather than local ecclesiastical or secular authority. The century saw dramatic growth of the universities fueled by the "new Aristotle" and the enthusiasm of the new religious orders. Bonaventure, Thomas Aquinas, Duns Scotus, William of Occam and Roger Bacon all taught at the universities in this century.

The crusading enthusiasm waned and the Fourth Crusade (1204) was a barbarous affair that never reached the Holy Land. The crusaders sacked Constantinople and established a Latin kingdom while the Greeks held four small portions of the former empire. The Crusade was also a commercial coup for Venice, which seized ports and islands in the eastern Mediterranean and became the most important commercial city in the West. This century saw the rise in Spain the kingdoms of Castille and Aragon as the reconquest was effective in restoring most of Spain to Christian rule. In Sicily and Southern Italy, Frederick II (1197–1250) put together a court and center of learning that rivaled the sultans' in splendor and brilliance.

The pontificate of Boniface VIII (1294–1303) overreached itself and papal authority declined dramatically as criticism of the church increased, and things began to fall apart.

Thomas of Celano
(1200–1255)

The *Dies Irae* is usually ascribed to Thomas of Celano, one of the early Franciscans and first biographer of St. Francis of Assisi. Most people consider this the finest of the medieval hymns. In the old (before 1958) Latin liturgy the *Dies Irae* was used as the sequence during requiem Masses and on All Soul's Day (November 2).

It describes the terror and anxiety of the Last Things found carved on the portals of medieval cathedrals and later in the Last Judgements of Michelangelo in the Sistine Chapel and Signorelli in Orvieto. Thomas of Celano antedates Dante by about half a century. The *dies* is the "Last Day."

Dies Irae

> Dies irae, dies illa,
> solvet saeclum in favilla,
> teste David cum Sibylla.
>
> Quantus tremor est futurus,
> 5   quando iudex est venturus,
> cuncta stricte discussurus!

Metre: trochaic dimeter
1. **illa** — "that famous," "that dreadful"
2. **favilla** — "in glowing ashes" (like a nuclear holocaust)
3. **David** — genitive of an indeclinable noun. In Augustine's City of God, the Erythraean Sibyl prophesied the end of all things. The end of the world therefore is foretold by Jew and Gentile. The Sibyl are portrayed among the Jewish prophets as having prophesied the coming of Jesus, the saviour, in the Sistine Chapel and in the Duomo of Siena.

4–6. These rhyming periphrastics should be translated as simple futures. The same rule applies in lines 19–21; **stricte** — "thoroughly"

Tuba mirum spargens sonum
per sepulchra regionum,
coget omnes ante thronum.

10   Mors stupebit et natura
cum resurget creatura
iudicanti responsura.

Liber scriptus proferetur,
in quo totum continetur,
15   unde mundus iudicetur.

Iudex ergo cum censebit,
quidquid latet apparebit:
nil inultum remanebit.

Quid sum miser tunc dicturus,
20   quem patronum rogaturus,
dum vix iustus sit securus?

Rex tremendae maiestatis,
qui salvandos salvas gratis,
salva me, fons pietatis!

---

7. **tuba** — the trumpet at the end of the world (Matthew 24:31)
8. **regionum** — "of the world"
9. **thronum** — "the throne" (of the Judge)
10. **mors...et natura** each is the subject of *stupebit* and a personification (Revelations 20:13)
12. **responsura** — see ML notes.
13. **liber scriptus** — *i.e.* the Book of Life
15. **unde** — "by which"
16. **censebit** — in some texts *sedebit* appears
21. **iustus** — "the just man"
23. **salvas** — a verb; **salvandos** — the object of *salvas*, "those who have to be saved"; **gratis** — same as English

25　Recordare, Iesu pie,
　　quod sum causa tuae viae;
　　ne me perdas illa die.

　　Quaerens me sedisti lassus;
　　redemisti, crucem passus;
30　tantus labor non sit cassus.

　　Iuste iudex ultionis,
　　donum fac remissionis
　　ante diem rationis.

　　Ingemisco tamquam reus,
35　culpa rubet vultus meus:
　　supplicanti parce, Deus.

　　Qui Mariam absolvisti
　　et latronem exaudisti,
　　mihi quoque spem dedisti.

40　Preces meae non sunt dignae,
　　sed tu, bonus, fac benigne,
　　ne perenni cremer igne.

---

25. **recordare** — imperative
26. **viae** — *via crucis*: the "way of the cross," or all of Jesus' life on earth
27. **ne…perdas** — negative command
29. supply **me** as object of *redemisti*
33. **diem rationis** — "the day of reckoning"
34. **reus** — "as one condemned"
35. **culpa** — "with guilt"
36. **supplicanti** — dative, "the suppliant"
37. **Mariam** — Mary Magdalene. In the Middle Ages she was the prototype of the great sinner who did great penance after her sins were forgiven by Jesus.
38. **latronem** — the thief on the cross (Luke 23:42). He was assigned the name Dismas and several legends arose concerning him.
41. **fac benigne** — "kindly grant"

Inter oves locum praesta
et ab haedis me sequestra
45 statuens in parte dextra.

Confutatis maledictis,
flammis acribus addictis,
voca me cum benedictis.

Oro supplex et acclinis,
50 cor contritum quasi cinis.
gere cura mei finis.

Lacrimosa dies illa
Qua resurget ex favilla
Iudicandus homo reus;
55 Huic ergo parce Deus.

43–44. **Inter oves, et ab haedis** — cf. Matthew 25:33
46. **Confutatis maledictis** — "when the accursed have been put to silence"
(Matthew 25:45)
48. **cum benedictis** — "with the blessed"
49. **acclinis** — "kneeling," "bowed down"
50. **contritum** — "contrite," "worn down"
51. **gere curam** — "have a care for" (with genitive)
53. **qua** — "on which," "when"
54. **Iudicandus homo reus** — "guilty man must be judged"

St. Francis of Assisi
(1181–1226)

Francis of Assisi was one of the most attractive and revolutionary figures of the Middle Ages. Renouncing wealth and embracing "Lady Poverty," he established the Order of Friars Minor (the Franciscans). His life was the stuff of legends, which after his death were gathered in several collections. The first of these was written by Thomas of Celano. Two passages from his life follow. The first, by St. Bonaventure (1221–1274), the *"Doctor Seraphicus,"* is the "official" version commissioned by the General Chapter of the order. The second is from the *"Speculum Perfectionis,"* a collection of deeds and sayings collected from Brother Leo, confessor and secretary to St. Francis.

A. St. Francis and the Birds

Cum igitur appropinquaret Bevanio, ad quendam locum devenit in quo diversi generis avium maxima multitudo convenerat; quas cum sanctus Dei vidisset, alacriter cucurrit ad locum et eas velut rationis participes salutavit. Omnibus vera expectantibus et con-
5   vertentibus se ad eum, ita ut quae in arbustis erant, inclinantibus capitibus, cum appropinquaret ad eas, insolito modo in ipsum intenderent, usque ad eas accessit et omnes ut verbum Dei audirent sollicite admonuit, dicens: "Fratres mei volucres, multum debetis laudare creatorem vestrum, qui plumis vos induit, et
10   pennas tribuit ad volandum, puritatem concessit aeris, et sine vestra sollicitudine vos gubernat." Cum autem eis haec et his similia loqueretur, aviculae modo mirabili gestientes coeperunt extendere colla, protendere alas, aperire rostra, et illum attente

---

3. **alacriter** — "eagerly"
4. **rationis participes** — "sharers in reason," "capable of thought"
7. **intenderent** — "gave their attention"
8. **sollicite** — "full of concern," "earnestly"
10. **puritatem** — "cleanness," "openness"

respicere. Ipse vero cum spiritus fervore mirando per medium
15   ipsarum transiens, tunica contingebat easdem; nec tamen de loco
aliqua mota est donec, signo crucis facto et licentia data, cum
benedictione viri Dei omnes simul avolarunt. Haec omnia con-
tuebantur socii, expectantes in via. Ad quos reversus vir simplex
et purus, pro eo quod hactenus avibus non praedicaverat coepit se
20   de neglegentia inculpare.

Exinde predicando per loca vicina procedens, venit ad castrum
quoddam, nomine Alvianum, ubi congregato populo et indicto
silentio, propter hirundines nidificantes in eodem loco magnisque
garritibus perstrepentes, audiri vix poterat. Quas vir Dei, omnibus
25   audientibus, allocutus est, dicens: "Sorores meae hirundines, iam
tempus est ut loquar et ego, quia vos usque modo satis dixistis
audite verbum Dei, tenentes silentium, donec sermo Dei com-
pleatur." At illae, tamquam intellectus capaces, subito tacuerunt
nec fuerunt motae de loco donec fuit omnis praedictio consum-
30   mata. Omnes igitur qui viderunt, stupore repleti glorificaverunt
Deum. Istius miraculi fama circumquaque diffusa multos ad sancti
reverentiam et fidei devotionem accendit.

B. St. Francis and Christmas

QUOD VOLEBAT SUADERE IMPERATORI UT FACERET
SPECIALEM LEGEM QUOD IN NATIVITATE DOMINI
HOMINES BENE PROVIDERENT AVIBUS ET BOVI ET
4   ASINO ET PAUPERIBUS.

---

16. **licentia data** — "when he had given them permission"
19. **pro eo quod hactenus** — "because up to that time"
20. **inculpare** — "blame"
21. **castrum** — "village," "castle"
23. **nidificantes** — "building their nests"
24. **garritibus** — "chattering"
26. **et ego** — emphatic, not really translated
28. **intellectus capaces** — the same translation as note on 1.4
31. **circumquaque** — "on every side," "all over the neighborhood"

5 Nos qui fuimus cum beato Francisco et scripsimus haec, testimonium perhibemus quod multoties audivimus eum dicentem: Si
locutus fuero imperatori supplicando et suadendo dicam sibi ut
amore Dei et mei faciat legem specialem quod nullus homo capiat
vel occidit sorores alaudas nec faciat eis quidquam mali. Similiter
10 quod omnes potestates civitatum et domini castrorum et villarum
teneantur omni anno in die Nativitatis Domini compellere
homines ad projiciendum de frumento et aliis granis per vias extra
civitates et castra ut habeant ad comedendum sorores alaudae et
etiam aliae aves in tantae solemnitatis die, et quod, ob reverentiam
15 filii Dei quem tali nocte beatissima Virgo Maria inter bovem et
asinum in praesepio reclinavit; quicumque habuerit bovem et
asinum teneatur ipsa nocte de bona annona eis optime providere,
similiter quod in tali die omnes pauperes debeant a divitibus de
bonis cibariis saturari. Nam beatus Franciscus majorem reverenti-
20 am habebat in Nativitate Domini quam in aliis ejus solemnitatibus
dicens: Postquam Dominus natus fuit nobis, oportuit nos salvari.
Propterea volebat quod tali die omnis christianus in Domino
exultaret atque, pro ejus amore qui semetipsum nobis donavit,
omnes non solum pauperibus sed etiam animalibus et avibus lar-
25 giter providerent.

---

6. **multoties** — "very often"
8. **amore** — "out of love," "because of love"
9. **alaudas** — "larks," "songbirds"
10. **potestates** — "mayors," "chief magistrates"
    castrorum — "castles"
11. **teneantur** — "should be made"
17. **reclinavit** — "place," "put to sleep"
20. **in Nativitate Domini** — "for the Nativity of the Lord," *i.e.* Christmas. St.
    Francis was responsible for promoting Christmas as a big feast and the creche as
    a Christmas decoration in churches and communities.
23. **semetipsum** — intensive, "himself"

Matthew Paris
(1200–1259)

Matthew Paris was a monk/chronicler whose works, especially the *Chronica Majora,* remain a major source of English medieval history. Most of his life was spent in England at the monastery of St. Albans. He was an advisor to King Henry III. There is some question whether Paris was his family name or whether he was actually from Paris.

Alfred and the Burnt Cakes

Est locus in ultimis Anglorum finibus ad occidentem Ethelingeie, id est, Nobilium insula, appellatus, paludibus undique circumseptus et ita inaccessus ut non nisi navigio queat adiri. Habet alnetum insula permaximum, quod cervos et capreas et illius generis bestias
5 continet multas, terram solidam vix duorum iugerum habet latam, quantulamcumque planitiem in medio retentam; hanc rex Alfredus, paucis commilitonibus quos habebat relictis, ut hostes lateret, solus petivit, ubi cuiusdam ignoti tugurium prospiciens ad illud divertit, hospitium petiit et accepit, ubi per dies aliquot hospes
10 et egenus, illique et eius uxori subditus, rebusque contentus minimis habitavit. Rex autem interrogatus, quis esset aut quid in loco deserto quaereret, respondit, se regis ministrum et cum eo in

---

2. **Ethelingeie** — Athelney
3. **alnetum** — "alder-grove"
4. **permaximum** — "very large"
7. **paucis commilitonibus...relictis** — "having left the few comrades he had"
12–13. **et cum eo...victum** — "and that he was defeated with him in battle": indirect discourse

proelio victum, atque sic insequentes adversarios fugientem illuc
pervenisse; subulcus igitur verbis illius credulus, motus pietate,
15 cura diligenti ei vitae necessaria ministravit. Contigit autem subulcum de more die quadam porcos ad solita cogere pascua regem
solum cum subulci uxore domi residere; cumque mulier illa panes
subcinerios in igne ad coquendum posuisset et aliis intenta
negotiis panes adustos conspexisset, mox indignata regem
20 increpavit, dicens, Urere quos cernis panes girare moraris, cum
nimium gaudes hos manducare calentes.

At rex demisso vultu, mulieris lacessitus convitiis, nonsolum
panes giravit verum etiam bene coctos et integros mulieri resig-
navit.

---

13. **fugientem** — refers to *rex*. The direct object of the verb is *insequentes adver-sarios.*
14. **subulcus igitur verbis…pietate** — "the credulous swineherd was moved to pity by his words"
15–17. **Contigit…residere** — "It happened that…" *Contigit* takes the accusative with the infinitive. The subjects of the subordinate clauses are *subulcum* and *regem.*
18. **subcinerios** — "baked in ashes"
20. **Urere…moraris** — "You delay in turning the bread which you see burning"

Salimbene of Parma
(1221–1290)

Salimbene was born Ognibene di Guido di Adamo. He entered the Franciscans in 1238, and was ordained in 1249. His *Chronicon* deals with the years 1167–1287, and is a lively picture of life in France and Italy during that time. It also contains much of a personal nature, which includes the passage that follows.

The Author's Apology to his Father

Toto tempore vitae suae doluit pater meus de meo ingressu in ordinem fratrum Minorum nec consolationem accepit eo quod fil-ium non habebat qui ei in hereditate succederet. Et conquestus est imperatori, qui tunc temporis venerat Parmam, quod fratres
5   Minores sibi filium abstulissent. Tunc scripsit imperator fratri Helye generali ministro ordinis fratrum Minorum quod, si caram habebat gratiam suam, sic audiret eum ut me redderet patri meo. Receperat enim me frater Helias quando ad imperatorem ibat Cremonam missus a Gregorio papa nono anno Domini
10 MCCXXXVIII. Tunc pater meus ivit Asisium, ubi erat frater Helyas, et imperatoris litteras in manu posuit generalis. Quarum exordium tale fuit: "Ad Guidonis de Adam fidelis nostri suspiria mitiganda" et cetera. Lectis imperialibus litteris statim scripsit frater Helyas fratribus de conventu Fanensi, ubi habitabam, quod
15 si de voluntate mea procedebat me sine mora per oboedientiam

---

2. **ordinem fratrum Minorum** — OFM, Order of Friars Minor: Franciscans
4. **imperatori** — the Emperor was Frederick II
6. **Helye** — Elias
9. **Cremonam** — "to Cremona"
10. **Asisium** — "to Assisi"
11. **generalis** — "of the general," equivalent to abbot in the Franciscans
13. **imperialibus** — *i.e.* of the emperor
14. **Fanensi** — "of Fano"

redderent patri meo, alioquin, si cum patre meo ire nolebam, me carum custodirent sicut pupillam oculi sui. Venerunt itaque plures milites cum patre meo ad locum fratrum de civitate Fanensi ut finem negotii mei viderent; quibus factus fui spectaculum et ipsi 20 mihi causa salutis. Congregatis igitur fratribus cum saecularibus in capitulo et dictis multis verbis hinc inde, protulit pater meus litteras generalis ministri ac fratribus demonstravit. Quibus lectis frater Ieremias custos audientibus omnibus patri meo respondit: "Domne Guido, dolori vestro compatimur et parati sumus 25 oboedire litteris patris nostri. Verum tamen hic est filius vester, 'aetatem habet, ipse de se loquatur.' Quaeratis ab eo, si vult venire vobiscum, veniat in nomine Domini. Sin autem, vim ei ut vobiscum veniat inferre non possumus." Quaesivit ergo pater meus utrum vellem ire cum eo necne. Cui ego respondi: "Non, quia 30 Dominus dicit Luc. IX: 'Nemo mittens manum suam ad aratrum et aspiciens retro aptus est regno Dei.'" Et ait mihi pater: "Tu non curas de patre tuo et de matre tua, qui pro te variis doloribus affliguntur." Cui respondi: "Vere non curo, quia Dominus dicit Mat. X: 'Qui amat patrem aut matrem plus quam me non est me 35 dignus.' De te quoque dicit: 'Qui amat filium aut filiam super me, non est me dignus.' Debes ergo curare, pater, de illo qui pro nobis pependit in ligno ut nobis vitam donaret aeternam. Nam ipse est qui dicit Mat. X: 'Veni enim separare hominem adversus patrem suum et filiam adversus matrem et nurum adversus socrum suam. 40 Et inimici hominis domestici eius. Omnis ergo qui confitebitur me coram hominibus, confitebor et ego eum coram patre meo qui est in caelis. Qui autem negaverit me coram hominibus, negabo et ego eum coram patre meo, qui in caelis est.'" Et mirabantur fratres et gaudebant quod talia patri meo dicebam. Et tunc dixit

---

20. **saecularibus** — "people of the world," *i.e.* those who were not monks

21. **in capitulo** — "in the chapter": the meeting of the religious house

24. **Domne** — a term of respect, "Sir"

26. **aetatem habet** — "he is of age"; Salimbene was seventeen at the time

30. **Luc. IX** — Chapter 9 of the Gospel of Luke

33–34. **Mat. X** — Chapter 10 of the Gospel of Matthew

37. **in ligno** — "on the cross"

40. **inimici...eius** — "a man's enemies shall be of his own household"

45   fratribus pater meus: "Vos percantastis filium et decepistis ut mihi
non acquiescat. Conquerar iterum imperatori de vobis nec non et
generali ministro. Verum tamen permittite me loqui seorsum sine
vobis cum filio meo et videbitis quod me sine mora sequetur."
Permiserunt itaque fratres ut sine eis loquerer patri meo quia
50   propter verba mea iam dicta de me aliquantulum confidebant.
Verum tamen post parietem auscultabant qualia diceremus.
Tremebant enim sicut iuncus in aqua, ne pater meus suis blanditiis meum animum immutaret; et non solum timebant pro salute
animae meae sed etiam ne recessus meus occasionem daret aliis
55   ordinem non intrandi. Dixit igitur mihi pater meus: "Fili dilecte,
non credas istis pissintunicis (id est qui in tunicis mingunt) qui te
deceperunt, sed veni mecum et omnia mea tibi dabo." Et respondi et dixi patri meo: "Vade, vade, pater. Sapiens in Proverbiis dicit
III: 'Noli prohibere bene facere eum qui potest; si vales et ipse
60   bene fac.'" Et respondit pater meus cum lacrimis et dixit mihi:
"Quid igitur, fili, matri tuae dicam, quae se incessanter pro te
affligit?" Et aio ad eum: "Dices ei ex parte mea: Sic dicit filius
tuus: 'Pater meus et mater mea dereliquerunt me, Dominus autem
assumpsit me.'

---

45. **percantastis** — "you have bewitched"

56. **pissintunicis** — an insulting term for the Friars: it means exactly what you think

59–60. "Do not prevent him from doing good who is able; if you are able, do good yourself."

63–64. The quote is from Psalm 26:10.

St. Thomas Aquinas
(1225–1274)

Thomas Aquinas, "The Angelic Doctor," was born in the family castle of Roccasecca near Aquino. His first education was at Monte Cassino and in 1244 he joined the Dominicans while a student at the University of Naples, despite the stringent opposition of his family. He studied and taught at Paris, Cologne, Naples, and Rome, and died on the way to the Council of Lyons. His theological works, the *Summa Contra Gentiles* and *Summa Theologica,* were the fundamental theological texts for nearly seven hundred years. In addition, he developed the theology for the Eucharist and the liturgy for the Feast of Corpus Christi and one of the hymns, the *Pange Lingua,* was used at Vespers, the last two verses used at Benediction, a ceremony that used to be celebrated on Sundays and major feasts. This hymn has considerable connections with the earlier *Pange Lingua* of Venantius Fortunatus.

Vesper Hymn

A.

Pange, lingua, gloriosi
corporis mysterium
sanguinisque pretiosi
quem in mundi pretium
5 fructus ventris generosi
rex effudit gentium.

---

5. **fructus** — in apposition to *rex*
6. **gentium** — "of the world"

Nobis datus, nobis natus
ex intacta virgine
et in mundo conversatus
10   sparso verbi semine
sui moras incolatus
miro clausit ordine.

In supremae nocte cenae
recumbens cum fratribus,
15   observata lege plene
cibis in legalibus
cibum turbae duodenae
se dat suis manibus

Verbum caro panem verum
20   Verbo carnem efficit,
fitque sanguis Christi merum
et si sensus deficit,
ad firmandum cor sincerum
sola fides sufficit.

---

9. **conversatus** — "having lived," "passed his life"

11. **sui moras incolatus** — "the days of his life." This is an unusual use of *mora,* which usually means a period of time or a delay; *incolatus* is genitive.

13. **supremae...cenae** — "of the Last Supper"

14. **recumbens** — The Romans reclined at table rather than sat, as we do.

15–16. an indication that Jesus kept Passover completely according to Jewish law

17. **cibum** — in apposition to *se* in line 18

18. **turbae duodenae** — *i.e.* the apostles

19. **verbum caro** — "the word made flesh"

20. **verbo** — ablative of means, "by his word"

24. **sufficit** — "suffices," "is enough"

25   Tantum ergo sacramentum
veneremur cernui,
et antiquum documentum
novo cedat ritui,
praestet fides supplementum
30   sensuum defectui.

Genitori genitoque
laus et iubilatio,
salus, honor, virtus quoque
sit et benedictio,
35   procedenti ab utroque
compar sit laudatio.

B. Quaestio 40. ó De Bello.

The *Summa Theologica* has a fairly clear format. Each question is answered by *"Respondeo dicendum quod"* with a noun clause in the indicative. This is a well-known section that was frequently cited to justify wars.

Art 1. — Utrum bellare sit semper peccatum.

Respondeo dicendum, quod ad hoc quod aliquod bellum sit iustum tria requiruntur. Primo quidem auctoritas principis, cuius mandato bellum est gerendum. Non enim pertinet ad personam privatam bellum movere: quia potest

---

26. **cernui** — nominative plural agreeing with the subject of *veneremur*: "prostrate," "humbly"
27. **documentum** — "ordinance," "law"
29. **praestet fides supplementum** — "let faith supplement"
30. **defectui** — dative after *supplementum*: "failure," "inadequacy"
31–36. this is a doxology to the Trinity
31. **genitoque** — "to the Son"
35. **procedenti ab utroque** — "to the one proceeding from both," *i.e.* the Holy Spirit

1–2. **quod…iustum** — for a war to be just

5   ius suum in iudicio superioris prosequi. Similiter etiam
quia convocare multitudinem, quod in bellis oportet
fieri, non pertinet ad privatam personam. Cum autem
cura reipublicae commissa sit principibus, ad eos
pertinet rempublicam civitatis, vel regni seu provinciae
10   sibi subditae tueri. Et sicut licite defendunt eam
materiali gladio contra interiores quidem perturbatores,
dum malefactores puniunt, secundum illud Apostoli ad
Rom. XIII: "Non sine causa gladium portat: minister enim
Dei est, vindex in iram ei qui male agit": ita etiam
15   gladio bellico ad eos pertinet rempublicam tueri ab
exterioribus hostibus. Unde et principibus dicitur in
Psalm. LXXXI: "Eripite pauperem, et egenum de manu
peccatoris liberate." Unde Augustinus dicit contra
Faustum. "Ordo naturalis mortalium paci accomodatus hoc
20   poscit, ut suscipiendi belli auctoritas atque consilium
penes principes sit."] Secundo requiritur causa iusta, ut
scilicet illi, qui impugnantur propter aliquam culpam,
impugnationem merentur. Unde Augustinus dicit: "Iusta
bella solent diffiniri, quae ulciscuntur iniurias, si
25   gens vel civitas plectenda est, quae vel vindicare
neglexerit, quod a suis improbe factum est: vel reddere
quod per iniuriam ablatum est." Tertio requiritur ut sit
intentio bellantium recta, qua scilicet intenditur, vel
ut bonum promoveatur, vel ut malum vitetur. Unde
30   Augustinus in libro De Verbis Domini: "Apud veros Dei

---

5. **superioris** — "of his superior" *i.e.* his ruler, or whoever is over him legally

6. **multitudinem** — "a group of people." This qualification opposes the vendetta which was quite prevalent in Italy at the time of St. Thomas.

8 and 15. **rempublicam** — "common interest," "defence"

10. **licite** — "lawfully"

11. **materiali gladio** — "with civil authority" literally "with the material sword"
interiores...perturbatores — "internal disturbances"

12–13. **secundum...XIII** — "As the apostle (Paul) says in Romans XIII"

16. **unde** — "for this reason"

19. **accomodatus** — "is disposed"; agrees with *ordo*

21. **penes principes** — "within the power of the princes"

24. **diffiniri** — "to be defined"

25. **vindicare** — "recompense," "make amends"

cultores etiam illa bella pacata sunt, quae non
cupiditate aut crudelitate, sed pacis studio geruntur, ut
mali coerceantur, et boni subleventur."
Potest autem contingere, quod etiam si sit legitima
35   auctoritas indicentis bellum, et causa iusta, nihilominus
propter pravam intentionem bellum redditur illicitum.
Dicit enim Augustinus in libro contra Faustum. "Nocendi
cupiditas, ulciscendi crudelitas, implacatus et
implacabilis animus, feritas debellandi, libido
40   dominandi, et si quae sunt similia, haec sunt quae in
bellis iure culpantur."

---

31. **bella pacata sunt** — "wars are peaceful," a curious concept
35. **indicentis bellum** — "of the one who declares war"

Stabat Mater

This poem originally was ascribed to Jacopone da Todi (1228–1306) on the strength of a manuscript in the library of Todi. Although much of his poetry remains, none of it is in Latin. There is no reason, however, to suppose he was incapable of it. The poem is sometimes ascribed to Pope Innocent III, but most believe the poem is of Franciscan provenance. Note the metrical similarity to the *Dies Irae*. The poem is one of the finest and most moving and deals with the reaction of Mary, Mother of Jesus, to his sufferings and death. There are several variations of the poem. One includes additional verses, which are not used in any of the musical settings. This version is the one used in the Roman Missal and was the sequence used for the Feast of the Seven Sorrows of Mary on September 15.

> Stabat mater dolorosa
> iuxta crucem lacrimosa,
> dum pendebat filius;
> cuius animam gementem
> 5 contristantem et dolentem
> pertransivit gladius.
>
> O quam tristis et afflicta
> fuit illa benedicta
> mater unigeniti!
> 10 quae moerebat et dolebat,
> et tremebat, cum videbat
> nati poenas incliti.

---

4. **cuius** — has the force of a possessive adjective
6. **pertransivit** — "passed through"
9. **unigeniti** — "of the only begotten son"

Quis est homo qui non fleret
matrem Christi si videret
15   in tanto supplicio?
quis non posset contristari,
piam matrem contemplari
dolentem cum filio?

Pro peccatis suae gentis
20   vidit Iesum in tormentis,
et flagellis subditum
vidit suum dulcem natum
morientem, desolatum,
dum emisit spiritum.

25   Eia, mater, fons amoris,
me sentire vim doloris
fac, ut tecum lugeam;
fac ut ardeat cor meum
in amando Christum Deum,
30   ut sibi complaceam.

Sancta mater, istud agas,
crucifixi fige plagas
cordi meo valide;
tui nati vulnerati,
35   tam dignati pro me pati,
poenas mecum divide.

Fac me vere tecum flere,
crucifixo condolere,
donec ego vixero.
iuxta crucem tecum stare,
40   te libenter sociare
in planctu desidero.

---

30. **sibi** — "to him"
31. **istud agas** — iussive: "bring it about"
35. **tam dignati pro me pati** — "who deigned to suffer so for me"
38. **condolere** — from *condolesco*

Virgo virginum praeclara,
mihi iam non sis amara;
fac me tecum plangere,
45   fac, ut portem Christi mortem,
passionis fac consortem
et plagas recolere.

Fac me plagis vulnerari
cruce hac inebriari
50   ob amorem filii;
inflammatus et accensus
per te, virgo, sim defensus
in die iudicii.

Fac me cruce custodiri,
55   morte Christi praemuniri,
confoveri gratia;
quando corpus morietur,
fac ut animae donetur
paradisi gloria.

---

56. **confoveri gratia** — "cherished by his grace"

James of Voragine
(1230–1298)

James (Jacobus) of Voragine was born in Varazze near Genoa and entered the Dominican Friars in 1244. He became Bishop of Genoa where he was known for his sanctity and generosity to the poor. Among his works, *The Golden Legend,* a collection of lives and legends of the saints, is by far the most popular and contains legends and stories of saints and miracles that became part of popular culture for many centuries.

from The Golden Legend

A. A Bird in the Hand is Sometimes Very Embarrassing

This selection is taken from the story of "Sts. Barlaam and Josaphat," originally written by St. John Damascene (675–749). The story is a Christianization of the life of Gautama Buddha (Siddartha), who often taught by parables.

Sagittarius quidam aviculam parvam, nomine philomenam, capiens cum vellet eam occidere, vox data est philomenae et ait: "quid tibi proderit, o homo, si me occideris? neque enim ventrem tuum de me implere valebis, sed, si me dimittere velles, tria tibi mandata darem,
5   quae si diligentius conservares, magnam inde utilitatem consequi posses." Ille vero ad ejus loquelam stupefactus promisit, quod eam dimitteret, si haec sibi mandata proferret. Et illa: "nunquam rem,

---

1. **philomena nomine** — "philomena by name"; *philomena* (*philomela*) is "nightingale." Philomela was the daughter of Pandion and the sister of Procne who, in the Roman versions of the myth, was turned into a nightingale by the gods.
4. **si me dimittere velles...darem** — "if you were willing to set me free I would give you three pieces of advice" (contrary to fact condition)

quae apprehendi non potest, apprehendere studeas; de re perdita
irrecuperabili nunquam dolens; verbum incredibile nunquam
10   credas; haec tria custodi et bene tibi erit." Ille autem, ut promiserat,
eam dimisit, philomena igitur per aera volitans dixit ei: "vach tibi,
homo, quod malum consilium habuisti et quod magnum thesaurum hodie perdidisti est enim in meis visceribus margarita,
quae struthionis ovum sua vincit magnitudine." Quod ille audiens
15   valde contristatus est, quod eam dimiserit, et eam apprehendere
conabatur dicens: "veni in domum meam et omnem tibi humani-
tatem exhibebo et honorifice te dimittam." Cui philomena: "nunc
pro certo cognovi te fatuum esse, nam ex his quae tibi dixi, nullum
profectum habuisti, quia et de me perdita et irrecuperabili doles et
20   me tentas capere, cum nequeas meo itinere pergere, et insuper
margaritam tam grandem in meis visceribus credisti esse, cum
ego tota ad magnitudinem ovi struthionis non valeam pertingere."
Sic ergo stulti sunt illi, qui confidunt in ydolis, quia plasmatos a
se adorant.

8–9. **de re perdita irrecuperabili nunquam dolens** — "never grieve over a thing
that cannot be regained"

10. **bene tibi erit** — "all will be well with you"

11–12. **vach tibi, homo** — "woe to you, O man"

14. **quae struthionis ovum sua vincit magnitudine** — "which is larger than an
ostrich egg"

18–19. **nam ex his...habuisti** — "for you have learned nothing from the things I told
you"

21–22. **cum ego tota...pertingere** — "when my whole body is not as big as an
ostrich egg"

23. **ydolis** — "in idols"

   plasmatos — from *plasma*, "things made" (accusative plural), an unusual form

B. Boethius

his brief account of Theodoric's imprisonment of Boethius is interesting for the mention of Boethius' wife, Elpis, and the composition of the hymn that demonstrates that women, at least those of the Patrician class, were capable of producing literary compositions. The hymn that is mentioned, however, is of uncertain origin.

Per idem tempus, dum Theodericus rex Gothorum jussu imperatoris Italiam regeret et Ariana haeresi depravatus esset et Boethius philosophus consularis patricius cum Symmacho patricio, cujus gener erat, rempublicam illustraret et auctoritatem Romani senatus
5   contra Theodericum defensaret, idem Theodericus Boethium Papiae in exsilium trusit, ubi librum de consolatione composuit, et tandem eum exstinxit. Ejus uxor, Elpes nomine, hymnum apostolorum Petri et Pauli, qui sic incipit: "felix per omnes festum mundi cardines, edidisse fertur." Epitaphium quoque suum ipsa
10   composuit ita dicens:

Elpes dicta fui, Siciliae regionis alumna,
Quam procul a patria conjugis egit amor
Porticibus sacris jam nunc peregrina quiesco,
Judicis aeterni testificata thronum.

15   Theodericus autem subito defunctus a quodam santo eremita visus est, a Johanne papa et Symmacho, quos ipse occiderat, nudus et discalceatus in ollam Vulcani demergi, sicut ait Gregorius in dyalogo.

---

2. **Ariana haeresi** — "by the Arian heresy"
3. **consularis** — "of consular rank"
6. **Papiae** — Pavia
   de consolatione — "On the Consolation of Philosophy"
14. **testificata** — "I have given witness"
16. **a Johanne papa et Symmacho...demergi** — "was pushed by Pope John and Symmachus"
17. **ollam** — stove
18. **dyalogo** — refers to the works of Gregory the Great

C. Mohammed and the Beginnings of Islam

𝕿he author treats the emergence of Islam with a curious blend of fact and fiction. Although he correctly notes certain Jewish and Christian beliefs that Muslims accept as well, and refers to passages actually found in the Quran, his description of Mohammed and the origins of his teaching bear little resemblance to historical fact or Muslim tradition. His account probably reflects deliberate attempts by Christian propagandists to discredit the teaching of Islam, as well as the usual distortions that occur when stories are passed on by word of mouth. It is striking that one account places a renegade Christian at the source of the faith that would be Western Christiandom's public enemy number one throughout much of the medieval period, particularly as the focus of the Crusades.

    Hujus Bonifacii tempore mortuo Phoca et regnante Heraclio circa annum domini DCX Magumeth pseudopropheta et etiam magus Agarenos sive Ismaelitas, id est Saracenos, hoc modo decepit, sicut legitur in quadam hystoria ipsius et in quadam chronica.

5   Clericus quidam valde famosus, cum in Romana curia honorem, quem cupiebat, assequi non potuisset, indignatus ad partes ultramarinas confugiens sua simulatione innumerabiles ad se attraxit inveniensque Magumeth dixit ei, quod ipsum illi populo praeficere vellet, nutriensque columbam grana et alia hujusmodi in

10   auribus Magumeth ponebat. Columba autem supra ejus humeros

---

1. **Hujus Bonifacii** — Bonifice IV. Phocas was Byzantine emperor 602–610, Heraclius 610–641.
2. **Magumeth** — undeclinable. Mohammed received his revelation over a period of 22 years, C.E. 610–632.
   pseudopropheta — false prophet. The term appears in the New Testament in such passages as Christ's prophetic warning in Matthew 24.24.
3. **Agarenos** — children of Hagar
   Ismaelitas — descendants of Ishmael, Abraham's son by his concubine Hagar. Jews trace their descent through Isaac, the son of Abraham's wife, and regard Ishmael and his descendants as outcasts. The Quran, however, refers to both Isaac and Ishmael as prophets and forefathers in faith (Sura 2.133, 136, 140).
5. **curia** — the Roman court
6–7. Both the perfect *(indignatus)* and present *(confugiens)* participles refer to the *Clericus*, explaining the circumstances of his departure. Translate the ablative of means *sua stimulatione* with the main verb *se attraxit*.
8. **dixit ei quod...** — Note the increased use of clauses introduced by *quod*.

stans de auribus ejus cibum sibi sumebat sicque jam adeo asuefacta erat, quod, quandocumque Magumeth videbat, protinus super humeros ejus prosiliens rostrum in ejus aure ponebat. Praedictus igitur vir populum convocans dixit, se illum sibi velle praeficere,
15 quem spiritus sanctus in specie columbae monstraret, statimque columbam secrete emisit et illa super humeros Magumeth, qui cum aliis adstabat, evolans rostrum in ejus aure aposuit. Quod populus videns spiritum sanctum esse credidit, qui super eum descenderet ac in ejus aure verba Dei inferret, et sic Magumeth Saracenos
20 decepit, qui sibi adhaerentes regnum Persidis ac orientalis imperii fines usque ad Alexandriam invaserunt. Illoc quidem vulgariter dicitur, sed verius est, quod infra habetur.

Magumeth igitur proprias leges confingens ipsas a spiritu sancto in specie columbae, quae saepe vidente populo super eum volabat,
25 se recepisse mentiebatur, in quibus quaedam de utroque testamento inseruit. Nam cum in prima aetate mercimonia exerceret et apud Aegyptum et Palaestinam cum camelis pergeret, cum christianis et Judaeis saepe conversabatur, a quibus tam novum quam vetus didicit testamentum. Unde secundum ritum Judaeorum circum-
30 ciduntur Saraceni, et carnes porcinas non comedunt. Cujus rationem cum vellet Magumeth assignare, dixit, quod ex fimo cameli porcus post diluvium fuerit procreatus et ideo tamquam

---

14. **se illum sibi velle praeficere** — "He (the cleric) wished to place him (Mohammed) in charge of them" (the people). Note the use of the reflexive pronoun.

15. **spiritus sanctus** — the Holy Spirit is often pictured as a dove. Matthew 4.16

20. **sibi** refers to Mohammed, not the Saracens

22. **verius** — "truer," "closer to the truth"

23. **ipsas** — refers to Mohammed's *proprias leges,* to the direct object of *recepisse*

25. **utroque testamento** — both the old (*vetus*) and new (*novus*) testaments

26. **mercimonia exerceret** — "he engaged in trade"

29–30. **circumciduntur** — "are circumcised"

The Quran makes frequent mention of the prohibition against eating pork (Sura 2.173, for example) but the rationale for the prohibition given here is pure invention.

immundus a mundo populo est vitandus. Cum christianis autem
conveniunt, quod credunt unum solum Deum omnipotentem
35 omnium creatorem. Asseruit etiam pseudopropheta, vera
quaedam falsis immiscens, quod Moyses fuit magnus propheta,
sed Christus major est, summus prophetarum natus ex Maria virgine virtute Dei absque semine hominis. Ait quoque in suo
alchorano, quod Christus, dum adhuc puer esset, de limo terrae
40 volucres precreavit, sed venenum immiscuit, quia Christum non
vere passum nec vere resurrexisse dixit, sed alium quendam
hominem sibi similem hujusmodi egisse vel passum esse docuit.

D. The Seven Sleepers

𝕿he miraculously long sleep recurs in fairy tale legend and fiction. The
Sleeping Beauty, Rip Van Winkle, and the legend of Emperor Frederick
Barbarossa (1123–1190), who was drowned in Asia Minor while on the
Third Crusade. In the legend he still sleeps in a cave, with his beard growing longer,
and will wake and come back to save Germany in her hour of need. See another ver-
sion of the legend under Paul the Deacon.

"The Seven Sleepers of Ephesus" is extant in several versions, including Greek, Syriac,
Coptic, and Georgian. The Moslem version has added a little dog who guarded the
sleepers during their long sleep.

Ephesus was an important Greek city on the west coast of Asia Minor, with a famous
temple of Artemis. The ruins of the theater and of the Church of the Seven Sleepers
can still be seen there. In 250, under Decius, there was a bloody persecution of
Christians.

---

35. Sura 2.136 states the following: Say, "We believe in God, and in what was
revealed to us, and in what was revealed to Abraham, Ishmael, Isaac, Jacob, and
the Patriarchs, and in what was given to Moses and Jesus, and in what was given
to all the prophets from their Lord; we make no distinction among any of them;
we submit to God."
35. **asseruit etiam pseudopropheta** — "He also acted as a false prophet."
36. Moses is frequently cited as a great prophet. See Sura 7.103–137.
37. The Quran expresses deep respect for the Virgin Mary, particularly in Sura
3.42–48 and 19.
39. **alchorano** — The Quran
40. For the story of Christ creating birds out of mud see Sura 3.49. The story also
appears in the gnostic gospel, the Protogospel of James.
42. **"sibi"** — refers to Jesus

Septem dormientes in civitate Ephesi orti sunt. Decius autem imperator persequens christianos cum venisset Ephesum, jussit aedificari templa in medio civitatis, ut omnes cum eo miscerentur sacrificiis ydolorum. Cum ergo omnes christianos inquiri jussisset
5   et vinctos aut sacrificare aut mori compelleret, tantus poenarum terror cunctis inerat, quod amicus amicum et filium pater et patrem filius abnegabat. Tunc in illa urbe inventi sunt christiani septem, Maximianus, Malchus, Marcianus, Dionysius, Johannes, Serapion, et Constantinus, qui hoc videntes nimis dolebant.
10 Accusati igitur ante Decium statuuntur et comprobati veraciter christiani dato iis resipiscendi spatio usque ad reditum Decii dimittuntur, at illi patrimonium suum interim inter pauperes expendentes inito consilio in montem Celion secesserunt et ibi esse secretius decreverunt. Diu ergo sic latentes unus eorum sem-
15 per ministrabat et quoties intrabat urbem figura se mendici et habitu vestiebat. Cum ergo Decius in urbem rediisset et eos ad sacrificandum perquiri jussisset, Malchus minister eorum territus ad socios rediit et iis furorem imperatoris indicavit. Postquam autem coenabant sedentes et colloquentes in luctu et lacrymis,
20 subito, sicut Deus voluit, dormiverunt.

Anno XXX imperii eius Theodosius misit ad Montem Celion ut aedificaret stabula pastoribus suis. Caementariis speluncam ape-rientibus surrexerunt sancti et se invicem salutantes putabant se tantum una nocte dormivisse. Maximianus jussit Malcho, ut
25 emturus panes ad urbem descenderet. Tollens ergo Malchus quinque solidos de spelunca exiit et videns lapides miratus est,

---

1. **Ephesus** — residence of St. Paul, site of the ecumenical council of C.E. 431, which rejected Nestorianism, and the "Robber Council" of C.E. 449, both con-voked by Theodosius II.
   Decius — Roman Emperor, born C.E. 201, reigned 249–251.
3. **miscerentur** — "should participate"
5–6. **tantus...inerat** — "so great was the fear of his punishment"
10. **ante Decium statuuntur** — "they were brought before Decius"
11. **christiani** — supply "they were"
13. **inito consilio** — "having formed a plan"
17. **minister eorum** — "their envoy," the one who had gone to town that day
22. **caementarius** — "mason"

sed aliud cogitans parum de lapidibus cogitavit. Veniens igitur timidus ad portam urbis valde miratus est videns suppositum signum crucis, unde pergens ad alteram portam, dum idem
30 signum invenit, ultra modum miratus est videns omnes portas signo crucis apposito et mutatam civitatem, signansque se ad primam portam rediit existimans se somniare. Unde se confirmans et vultum operiens urbem ingreditur et veniens ad venditores panum audivit homines loquentes de Christo et amplius stupefactus
35 ait: quid est, inquit, quod heri nemo Christum audebat nominare, et nunc omnes Christum confitentur? puto, quod haec non est Ephesorum civitas, quia aliter aedificata est, sed aliam civitatem nescio talem. Et cum interrogans audivisset, hanc esset Ephesum, errare veraciter se putavit et redire ad socios cogitavit, accessit
40 tamen ad eos, qui panem vendebant, et cum argenteos protulisset, mirati venditores dicebant ad invicem, quod ille juvenis antiquum thesaurum invenisset, Malchus vero eos ad invicem loquentes videns putabat, quod vellent eum trahere ad imperatorem, et territus rogavit eos, ut se dimitterent et panes et argenteos retinerent.
45 At illi tenentes eum dixerunt ei: unde es tu? quia thesauros antiquorum imperatorum invenisti, indica nobis et erimus socii tecum et celabimus te, quia aliter celari non potes.

Episcopus vocatus dixit: fili, non est hodie in terra, qui Decius imperator nominatur, autem fuit ante longum tempus. Malchus
50 autem dixit: in hoc, domine, ita stupeo et nemo credit mihi, sed sequimini me et ostendam vobis socios meos, qui sunt in monte Celio, et ipsis credite. Perrexerunt ergo cum eo et episcopus ingrediens invenit inter lapides litteras sigillatas duobus sigillis

---

27. **parum de lapidibus cogitavit** — "he thought little of the stones," "he gave the stones little thought"

28–29. **suppositum signum crucis** — "the sign of the cross placed above it (the gate)"

30. **ultra modum** — "very much"

32. **existimans se somniare** — "believing he must be dreaming"
se confirmans — "pulling himself together"

33. **operiens** — "covering"

37–38. **aliam civitatem nescio talem** — "I know of no other city like this one"

41. **ad invicem** — "among themselves"

argenteis et convocato populo legit eas. Videntes sanctos Dei
55   sedentes in spelunca et facies eorum tamquam rosas florentes
procidentes glorificaverunt Deum statimque episcopus misit ad
Theodosium imperatorem ut cito veniret et miracula Dei nuper
ostensa videret; et imperator surgens amplexatus est eos et super
singulos flevit dicens: sic video vos, tamquam si viderem
60   Lazarum. Et his dictis videntibus cunctis inclinantes capita sua in
terram obdormierunt et tradiderunt spiritus suos secundum Dei
imperium.

Carmina Burana

The *Carmina Burana* is an important collection of student songs, other poems and prose satires that was found in the Benedictine monastery of Benedictbeuern in Bavaria. The manuscript dates from the thirteenth century, but most of the works were written a century earlier. Although many of the works are found elsewhere, as a totality it gives us a unique insight into medieval student life and concerns. (Helen Waddell's The Wandering Scholars is an entertaining account of some of these scholars.) The "Cantata" *Carmina Burana* of Carl Orff contains many of the poems in this collection.

Most of these scholars were clerics who took a vow of celibacy—under one of the several grades prior to ordination including acolyte, exorcist, lector, ostiariatus (doorkeeper), subdeacon and deacon. These clerics had certain obligations to the church in return for tuition, fees and certain living expenses. (These scholarships were called "benefices.") Among the obligations, clerics were not allowed to marry. They learned, however, to make the distinction between celibacy and chastity.

I. Fickle Fortune

This is the opening song in Orff's work—done with much sound and fury. A lot of it is fairly mindless with much less to it than meets the eye, like some of today's rock songs.

> O Fortuna,
> Velut luna
> Statu variabilis,
> Semper crescis
> 5　Aut decrescis;
> Vita detestabilis
> Nunc obdurat
> Et tunc curat
> Ludo mentis aciem,

9–10. **ludo mentis aciem dissolvit** — "in her game she melts sharpness of mind"

10　　Egestatem,
　　　Potestatem
　　　Dissolvit ut glaciem.

　　　Sors inmanis
　　　Et inanis,
15　　Rota tu volubilis,
　　　Status malus,
　　　Vana salus
　　　Semper dissolubilis,
　　　Obumbrata
20　　Et velata
　　　Mihi quoque niteris,
　　　Nunc per ludum
　　　Dorsum nudum
　　　Fero tui sceleris.

25　　Sors salutis
　　　Et virtutis
　　　Mihi nunc contraria,
　　　Est affectus
　　　Et defectus
30　　Semper in angaria;
　　　Hac in hora
　　　Sine mora
　　　Cordis pulsum tangite,
　　　Quod per sortem
35　　Sternit fortem
　　　Mecum omnes plangite.

---

18. **dissolubilis** — "coming apart"
19–20. **obumbrata** and **velata** agree with subject of *niteris*.
21. **niteris** — "you grind me down"
24. **tui sceleris** — "through your fault or crime"
25. supply *est*
28–29. **affectus...defectus** — can be interpreted as "love and hate" or "gain and loss"
30. **in angaria** — "in narrow circumstances," "without resources"
33. **cordis pulsum** — "the chord of the heart"
35. **fortuna** is the subject of *sternit*

II. The Return of Spring

Ver redit optatum
Cum gaudio,
Flore decoratum
Purpureo,
5   Aves edunt cantus
Quam dulciter,
Revirescit nemus,
Cantus est amoenus
Totaliter.

10   Iuvenes ut flores
Accipiant
Et se per odores
Reficiant,
Virgines assumant
15   Alacriter,
Et eant in prata
Floribus ornata
Communiter.

III.

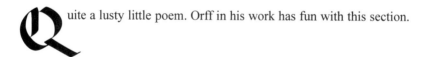

uite a lusty little poem. Orff in his work has fun with this section.

Ecce gratum
Et optatum
Ver reducit gaudia,
Purpuratum
5   Floret pratum,

---

3. **Flore** — the singular for the plural
9. **totaliter** — as English "totally"
18. **Communiter** — "together"

Sol serenat omnia,
Iam iam cedant tristia.
Aestas redit,
Nunc recedit
10   Hiemis saevitia.

Iam liquescit
Et decrescit
Grando, nix et cetera.
Bruma fugit,
15   Et iam sugit

Ver aestatis ubera;
Illi mens est misera,
Qui nec vivit,
Nec lascivit
20   Sub aestatis dextera.

Gloriantur
Et laetantur
In melle dulcedinis
Qui conantur
25   Ut utantur
Praemio Cupidinis;
Simus iussu Cypridis
Gloriantes
Et laetantes
30   Pares esse Paridis.

---

7. **iam iam** — redundant. Only one of them is needed.
17. **illi** — dative of possession
27. **Cypridis** — Venus
30. **Paridis** — the man, not the city

IV. Enjoy Youth While You Can

he metre is trochaic dimeter catalectic. The fourth verse depicts the old sexist custom of "standing on the corner, watching all the girls go by."

Omittamus studia;
Dulce est desipere,
Et carpamus dulcia
Iuventutis tenerae;
5   Res est apta senectuti
Seriis intendere.
Refrain:
Velox aetas praeterit
Studio detenta,
10   Lascivire suggerit
Tenera iuventa

Ver aetatis labitur,
Hiems nostra properat;
Vita damnum patitur,
15   Cura carnem macerat;
Sanguis aret, hebet pectus,
Minuuntur gaudia;
Nos deterret iam senectus
Morborum familia.
20   Refrain

Imitemus superos!
Digna est sententia,
Et amores teneros
Iam venantur otia;
25   Voto nostro serviamus,
Mos iste est iuvenum,

---

1. **Studia** — "studies"
2. **Dulce est desipere** — from Horace Ode IV, 12:28
10. Supply *nos*

Ad plateas descendamus
Et choreas virginum.
Refrain

30 Ibi quae fit facilis
Est videndi copia,
Ibi fulget mobilis
Membrorum lascivia,
Dum puellae se movendo
35 Gestibus lasciviunt,
Asto videns et videndo
Me mihi subripiunt.

V. The Beggar Student

Written in the goliardic metre—as is the *Archpoet's Confession*. Being a "cleric" meant that a medieval university student was eligible for financial aid, but he could not be legally married. The tone is like some of the young street people in Europe who sit in prominent places with a sign "I am hungry" on a receptacle near where they are sitting.

Exul ego clericus
Ad laborem natus
Tribulor multotiens
Paupertati datus.

5 Litterarum studiis
Vellem insudare
Nisi quod inopia
Cogit me cessare.

---

36. **Asto** — *adsto*

3. **tribulor multotiens** — "I suffer often"
6. **insudare** — "sweat over," with the dative
7. **Nisi quod** — "except that"

Ille meus tenuis
10   Nimis est amictus,
Saepe frigus patior
Calore relictus.

Interesse laudibus
Non possum divinis,
15   Nec missae nec vesperae,
Dum cantetur finis.

Decus N.
Dum sitis insigne,
Postulo suffragia
20   De vobis tam digne.

Ergo mentem capite
Similem Martini,
Vestibus induite
Corpus peregrini,

25   Ut vos Deus transferat
Ad regna polorum.
Ibi dona conferat
Vobis beatorum.

---

17. **N** — here is space to supply the name of the city in which the student is begging
19. **suffragia** — "help"
21. **capite** — verb
22. **Martini** — in the *Vita of Sulpicius Severus,* St. Martin gave half his cloak to a beggar
26. **polorum** — "of heaven"

VI. Omnia Sol Temperat

his is also written in the goliardic metre.

Omnia sol temperat
purus et subtilis,
novo mundo reserat
faciem Aprilis;
5   ad amorem properat
animus herilis,
et iucundis imperat
deus puerilis.

Rerum tanta novitas
10   in sollemni vere
et veris auctoritas
iubet nos gaudere;
vices prebet solitas,
et in tuo vere
15   fides est et probitas
tuum retinere.

Ama me fideliter!
fidem meam nota
de corde totaliter
20   et ex mente tota
sum presentialiter
absens in remota.

---

3. **reserat** — the subject is *sol*
6. **herilis** — "manly," "virile"
7. **iucundis** — "to pleasant things," "joys"
8. **deus puerilis** — Cupid (Eros)
16. **retinere** — "to support"
   tuum — instead of *te*
18. **nota** — a verb
21. **presentialiter** — "with you"

>   quisquis amat aliter,
> 24   volvitur in rota.

VII. **In Taberna Quando Sumus**

This is one of the great drinking songs of the Middle Ages (perhaps of all time) and a very clever one since it incorporates many elements, including irreverent liturgical parody. It certainly is aesthetically and structurally superior to "One Hundred and One Bottles of Beer on the Wall." Here, however, they drink only thirteen times, which seems enough for anyone.

>   In taberna quando sumus,
>   Non curamus quid sit humus,
>   Sed ad ludum properamus,
>   Cui semper insudamus.
> 5   Quid agatur in taberna,
>   Ubi nummus est pincerna;
>   Hoc est opus ut quaeratur,
>   Si quid loquar, audiatur.
>
>   Quidam ludunt, quidam bibunt,
> 10   Quidam indiscrete vivunt.
>   Sed in ludo qui morantur,
>   Ex his quidam denudantur;
>   Quidam ibi vestiuntur,
>   Quidam saccis induuntur,
> 15   Ibi nullus timet mortem,
>   Sed pro Baccho mittunt sortem.

---

24. **in rota** — "on the wheel" (of love or fortune)

2. **humus** is used here in the sense of "land" or "country"
3. **ludum** — "game," gambling"
6. **"ubi nummus est pincerna"** — "where money is the cupbearer," *i.e.* money controls the flow of alcohol
9. **quidam...quidam** etc. — "some...others"
10. **indiscrete** — "without distinction" or "indiscreetly"
12. **denudantur** — "are left without clothes"
14. **saccis** — "in sackcloth"

Primo pro nummata vini,
Ex hac bibunt libertini:
Semel bibunt pro captivis,
20 Post haec bibunt ter pro vivis,
Quater pro christianis cunctis,
Quinquies pro fidelibus defunctis,
Sexies pro sororibus vanis,
Septies pro militibus silvanis.

25 Octies pro fratribus perversis.
Novies pro monachis dispersis,
Decies pro navigantibus,
Undecies pro discordantibus,

Duodecies pro paenitentibus
30 Tredecies pro iter agentibus.
Tam pro papa quam pro rege
Bibunt omnes sine lege.

---

17. **nummata** — "bill," "merchandise"
20. ff. The causes for drinking parallel various litanies or list of petition during votive masses.
23. **sororibus vanis** — either "worthless nuns" or a possible reference to the "five foolish virgins" in the gospel
24. **militibus silvanis** — a curious reference either professional huntsmen or unemployed soldiers in times of peace, who often took to the woods and caused trouble
25. **perversis** — "perverts," the opposite of "converts"
26. **dispersis** — "dropouts," monks no longer cloistered
28. **discordantibus** — "troublemakers"
31. **tam...quam** — "both...and"
   sine lege — "without restraint"

Bibit hera, bibit herus,
Bibit miles, bibit clerus,
35 Bibit ille, bibit illa,
Bibit servus cum ancilla,
Bibit velox, bibit piger,
Bibit albus, bibit niger,
Bibit constans, bibit vagus,
40 Bibit rudis, bibit magus,

Bibit pauper et aegrotus,
Bibit exul et ignotus,
Bibit puer, bibit canus,
Bibit praesul et decanus,
45 Bibit soror, bibit frater,
Bibit anus, bibit mater,
Bibit ista, bibit ille,
Bibunt centum, bibunt mille.

Parum centum sex nummatae
50 Durant ubi immoderate
Bibunt omnes sine meta,
Quamvis bibant mente laeta.
Sic nos rodunt omnes gentes,
Et sic erimus egentes.
55 Qui nos rodunt confundantur
Et cum iustis non scribantur.

---

33. **hera** — "mistress"; **herus** — "master"
39. **constans** — "faithful man"
40. **rudis** — "untaught man," "yokel"
    magus — "wise man," " professor"
43. **canus** — "old man"
49. **parum centum sex nummatae** — "not a million dollars," lit. "not 600 coins"
53. **rodunt** — "slander"
55. **scribantur** — *i.e.* in the "book of life," like Abou ben Adhem

VIII. The Roasting Cygnet

Olim lacus colueram,
Olim pulcher extiteram,
Dum cignus ego fueram.
Refrain: Miser, miser!
5   Modo niger et ustus fortiter.

Mallem in aquis vivere
Nudo semper sub aere,
Quam in hoc mergi pipere:
Refrain: Miser, miser!

10   Eram nive candidior,
Quavis ave formosior,
Modo sum corvo nigrior:
Refrain: Miser, miser!

Girat, regirat 'furcifer,'
15   Propinat me nunc dapifer,
Me rogus urit fortiter:
Refrain: Miser, miser!

Nunc in scutella iaceo,
Et volitare nequeo,
20   Dentes frendentes video:
Refrain: Miser, miser!

---

1. Note the pluperfect used for imperfect to express continuous action in the past.
2. **existere** — used for *esse*
14. **girat, regirat 'furcifer'** — "the scoundrel (*i.e.* the cook) spins and keeps spinning"
15. **dapifer** — "the waiter"
18. **scutella** — "platter"

IX. Dum Dianae Vitrea

he poem that follows is considered by many critics to be the finest of those in the *Carmina Burana.* The meter is irregular and the author unknown.

Dum Dianae vitrea
sero lampas oritur,
et a fratris rosea
luce dum succenditur,
5   dulcis aura zephyri
spirans omnes etheri
nubes tollit;
sic emollit
vi chordarum pectora,
10   et inmutat
cor quod nutat
ad amoris pondera.

Laetum iubar Hesperi
gratiorem
15   dat humorem
roris soporiferi
mortalium generi.

O quam felix est antidotum soporis,
quod curarum tempestates sedat et doloris!
20   dum surrepit clausis oculorum poris,
ipsum gaudio aequiperat dulcedini amoris.

1–2. **Dianae...lampas** — the moon

9. **chordarum pectora** — "by the power of its nerves" (strings)

13. **Hesperi** — the evening or morning star, Lucifer

16. **soporiferus** — "inducing sleep"

Morpheus in mentem
trahit impellentem
ventum lenem, segetes maturas,
25   murmura rivorum per harenas puras,
circulares ambitus molendinorum,
qui furantur somno lumen oculorum.

Post blanda Veneris commercia
lassatur cerebri substantia.
30   hinc caligant mira novitate
oculi nantes in palpebrarum rate.
Hei quam felix transitus
amoris ad soporem!
sed suavior regressus
35   ad amorem.

Fronde sub arboris amena,
dum querens canit philomena,
suave est quiescere;
suavius ludere
40   in gramine
cum virgine
speciosa.

si variarum odor herbarum
spiraverit,
45   si dederit
torum rosa,
dulciter soporis alimonia
post Veneris defessa commercia
captatur
50   dum lassis instillatur.

---

26. **molendinorum** — "mill," "millwheel"
36. **amena** — "amoena"

O in quantis
animus amantis
 variatur vacillantis!
 ut vaga ratis per aequora,
55 dum caret anchora,
 fluctuat inter spem metumque dubia,
 sic Veneris militia.

The Gospel According to the Mark of Silver

As papal power increased, so did opposition to it. The papal court was a frequent subject of criticism and this is one of the earliest pieces of satiric invective.

The Gospel according to the Mark of Silver is an often-quoted satire on the Roman *curia,* peppered with quotes or paraphrases from the scripture. So many, in fact, that all the citations will not be given. It would be interesting for you to look up some of the references to see how they have been twisted.

Initium sancti evangelii secundum Marcas argenti. In illo tempore: Dixit Papa Romanis: 'Cum venerit filius hominis ad sedem maiestatis nostre, primum dicite: "Amice, ad quid venisti?" At ille si perseveraverit pulsans nil dans vobis, eiicite eum in tenebras
5   exteriores.' Factum est autem, ut quidam pauper clericus veniret ad curiam domini Pape, et clamavit dicens: 'Miseremini mei saltem vos, hostiarii Pape, quia manus paupertatis tetigit me. Ego vero egenus et pauper sum, ideo peto ut subveniatis calamitati et miserie mee. Illi autem audientes indignati sunt valde et dixerunt:
10   'Amice, paupertas tua tecum sit in perditione. Vade retro,

---

1. **Initium...tempore** — this was a characteristic formula to introduce the reading of the Gospel
2. **Cum venerit** — Matthew 25:31
   Filius hominis — The son of man, refers to Jesus, the Christ
3. **Amice** — Matthew 26:50; **ad quid** — "why?"
4. **perseveraverit** — Luke 11:8
   in tenebras exteriores — "into exterior darkness" — or "into the darkness outside"
5. **factum est** — "it happened"; **quidam** — equivalent to indefinite article
6. **ad curiam** — "to the Curia," the council of Papal advisors
7. **hostiarii** — vocative (the *h* is superfluous); **Pape** — genitive, masculine
7–8. **ego vero egenus** — Psalm 69
10. **Sit** — jussive
10–11. **in perditione** — "in perdition," "in hell"; **Vade retro Sathana** — "get thee behind me Satan"

Sathanas, quia non sapis ea que sapiunt nummi. Amen, amen dico tibi: Non intrabis in gaudium domini tui, donec dederis novissimum quadrantem.'

Pauper vero abiit et vendidit pallium et tunicam et universa que
15 habuit, et dedit cardinalibus et hostiariis et camerariis. At illi dixerunt: 'Et hoc quid est inter tantos?' Et eiecerunt eum ante fores, et egressus foras flevit amare et non habens consolationem. Postea venit ad curiam quidam clericus dives incrassatus, inpinguatus, dilatatus, qui propter seditionem fecerat homicidium. Hic
20 primo dedit hostiario, secundo camerario, tertio cardinalibus. At illi arbitrati sunt inter eos quod essent plus accepturi. Audiens autem dominus Papa cardinales et ministros plurima dona a clerico accepisse infirmatus est usque ad mortem. Dives vero misit sibi electuarium aureum et argenteum, et statim sanatus est. Tunc
25 dominus Papa ad se vocavit cardinales et ministros et dixit eis: 'Fratres, videte ne aliquis vos seducat inanibus verbis. Exemplum enim do vobis, ut quemadmodum ego capio, ita et vos capiatis.'

---

11. **que sapiant nummi** — "those things which taste of money"
13. **quadrantem** — "penny"
14. **universa** — used in the sense of *omnis*
15. **camerariis** — "to the chamberlains"
16. **inter tantos,** "among so many"
16–17. **ante fores** — "outside the doors"
17. **amare** — an adverb
   non habens consolationem — "and had no consolation"; cf. Luke 6:24
18. **incrassatus, inpinguatus, dilatatus** — "grew fat, thick and gross"
23. **infirmatus est** — "became sick"; Deuteronomy 32–15
24. **electuarium** — "an elixir"
26. **ne aliquis** — "no one"
27. **capio...capiatis** — in the sense of "grab." The scriptural reference is "As I do, so also you should do."

The Play of Daniel

Liturgical drama seems to have been a spontaneous development in the church between the tenth and thirteenth centuries. It began with tropes, interpolations in church chants, especially the *Kyrie* and *Alleluia.* The *"Quem quaeritis"* trope for Easter was among the earliest and most famous.

As the form developed, themes from both the Old and New Testament were used creatively and with great art and sophistication. "The Play of Daniel" was written and performed at Beauvais, probably for Matins on January 1 and dates from the twelfth century. It is frequently performed now, especially during the Christmas season. The stage directions are in parenthesis.

Danielis Ludus

Ad honorem tui, Christe,
Danielis ludus iste,
In Belvaco est inventus,
Et invenit hunc juventus.

5 (Dum venerit Rex Balthasar, principes
sui cantabunt ante eum hanc prosam:)

Astra tenenti cunctipotenti
Turba virilis et puerilis
    Contio plaudit.
10 Nam Danielem multa fidelem
Et subiisse atque tulisse
    Firmiter audit.

---

3. **Belvaco** — "Beauvais"
6. **prosam** — "song"
12. **firmiter** — " attentively; the subject of **audit** is *turba* or *contio*

Convocat ad se Rex sapientes
Grammata dextrae qui sibi dicant
15   Enucleantes.
Quae quia scribae non potuere
Solvere regi ilico muti
        Conticuere.
Sed Danieli scripta legenti
20   Mox patuere quae prius illis
        Clausa fuere.
Quem quia vidit prevaluisse
Balthasar illis, fertur in aula
        Praeposuisse,
25   Causa reperta non satis apta
Destinat illum ore leonum
        Dilacerandum.

Sed, Deus, illos ante malignos
In Danielem tunc voluisti
30   Esse benignos.
Huic quoque panis, ne sit inanis,
Mittitur a te praepete vate
        Prandia dante.
(Tunc ascendat Rex in solium et
35   Satrapae ei applaudentes dicant:)

---

14. **grammata** — accusative, "letters"
15. **enucleantes** — "explaining"
17. **regi** — "in the presence of," "before" the king
23. **fertur** — "it is said"
    in aula — "in his court"
25. **causa** — "charge," "accusation"
    non satis apta — "not strong enough"
28. **Deus** — vocative; *illos, malignos* and *benignos* refer to those who caused Daniel trouble
31. **inanis** — "hungry"
32. **praepete vate** — "by the winged prophet." The prophet Habakkuk was carried by an angel to feed Daniel in the lion's den.

Rex, in eternum vive!
Vos qui paretis meis vocibus,
Afferte vasa meis usibus
Quae templo pater meus abstulit,
40 Judaeam graviter cum perculit.
(Satrapae vasa deferentes cantabunt
hanc prosam ad laudem Regis:)

Jubilemus Regi nostro
magno ac potenti!
45 Resonemus laude digna
voce competenti!
Resonet jucunda turba
solemnibus odis!
Cytharizent, plaudant manus,
50 mille sonent modis!
Pater ejus destruens
Judaeorum templa,
Magna fecit, et hic regnat
ejus per exempla.
55 Pater ejus spoliavit
regnum Judaeorum;
Hic exaltat sua festa
decore vasorum.
Haec sunt vasa regia
60 quibus spoliatur
Jerusalem, et regalis
Babylon ditatur.
Praesentemus Balthasar
ista Regi nostro
65 Qui sic suos perornavit

---

36. change in speaker
37. the speaker is the king
   vocibus — "commands"
38. **vasa** — the vessels used for ceremonies in the Temple of Jerusalem
43. **Jubilemus** — "let us praise" (with dative)
57. **exaltat** — "raise up," "increase"
63. **Balthasar** — dative

purpura et ostro.
Iste potens, iste fortis,
      iste gloriosus,
Iste probus, curialis,
70   decens et formosus.
Jubilemus Regi tanto
      vocibus canoris;

Resonemus omnes una
      laudibus sonoris;
75 Ridens plaudit Babylon,
      Jerusalem plorat;
Haec orbatur, haec triumphans
      Balthasar adorat.
Omnes ergo exultemus
80   tantae potestati
Offerentes Regis vasa
      suae majestati.
(Tunc principes dicant:)
Ecce sunt ante faciem tuam.
85 (Interim apparebit dextra in
conspectu Regis scribens in pariete:
Mane, Thechel, Phares.
Quam videns Rex stupefactus
clamabit:)

90 Vocate mathematicos
Chaldeos, et ariolos.
Auruspices inquirite,
Et magos introducite.

---

69. **curialis** — "courtly"
85. **dextra** — "a hand"
87. **Mane, Thekel, Phares** — the words written on the wall from which we have our expression "One can see the handwriting on the wall"

(Tunc adducentur Magi qui dicent
95   Regi): Rex, in eternum vive!
Adsumus ecce tibi.

(Et Rex dicet:)

Qui scripturam hanc legerit
Et sensum aperuerit,
100   Sub illius potentia
Subdetur Babylonia,
Et insignitus purpura
Torque fruetur aurea.

(Illi vero nescientes persolvare
105   dicent Regi:)

Nescimus persolvere
nec dare consilium,
Quae sit superscriptio,
nec manus indicium.

110   (Conductus Reginae venientis ad
Regem:)

Cum doctorum et magorum
    omnis adsit contio
Secum volvit, neque solvit,
115   quae sit manus visio.
Ecce prudens, styrpe cluens,
dives cum potentia;
In vestitu deaurato

---

99. **sensum** — "meaning"
109 and 121. **indicium** — "meaning," "interpretation"
110. **conductus** — a musical processional
114. **secum volvit** — the subject is *contio*: the assembly "turned over in their minds,"
    "considered"
116. **styrpe cluens** — "distinguished in lineage"
118. **deaurato** — "golden"

conjunx adest regia.
120 Haec latentem promet vatem
per cujus indicium
Rex describi suum ibi
    noverit exitum.
Laetis ergo haec virago
125   Comitetur plausibus;

Cordis, orisque sonoris
    personetur vocibus.
(Tunc Regina veniens adorabit
Regem dicens:)
130 Rex, in eternum vive!
Ut scribentis noscas ingenium,
Rex Balthasar, audi consilium.
(Rex audiens haec, versus Reginam
vertet faciem suam et Regina dicat:)
135 Cum Judaeae captivis populis

Prophetiae doctum oraculis
Danielem a sua patria
Captivavit patris victoria.
Hic sub tuo vivens imperio
140 Ut mandetur requirit ratio.
Ergo manda ne sit dilatio,
Nam docebit quod celat visio.

(Tunc dicat Rex principibus suis:)

145 Vos Danielem quaerite,
Et inventum adducite.

---

124. **virago** — "heroine," "noble woman"
126. **cordis** — "of strings"
127. **personetur** — "let music be played"
131. **ingenium** — "nature," "character"
138. **captivavit** — "brought as a captive"
140. **ut mandetur** — "that he be ordered to come"
145. **inventum** — "once he has been found"

(Tunc principes, invento
Daniele, dicant ei:)

Vir propheta Dei, Daniel
Veni ad regem
150 (Et Daniel eis:)
Multum miror cujus consilio
Me requirat regalis jussio.

Ibo tamen, et erit cognitum
Per me gratis quod est absconditum.
155 (Principes:)

Hic est cuius auxilio
Solvetur illa visio,
In qua scribente dextera,
Mota sunt Regis viscera.

160 (Veniens Daniel ante Regem, dicat ei)

Rex, in eternum vive!
(Et Rex Danieli:)

Tune Daniel nomine diceris,
Huc adductus cum Judaeae miseris?
165 Dicunt te habere Dei spiritum

Et praescire quodlibet absconditum.
Si ergo potes scripturam solvere,
Immensis muneribus ditabere.
(Et Daniel regi:)

170 Rex, tua nolo munera;
Gratis solvetur litera.
Est autem haec solutio:

---

154 and 171. **gratis** — as in English
171. **litera** — "the writing"

Instat tibi confusio.
Pater tuus prae omnibus
175 Potens olim potentibus
Turgens nimis superbia
Dejectus est a gloria.
Nam cum Deo non ambulans,
Sed sese Deum simulans,

180 Vasa templo diripuit
Quae suo usu habuit.
Sed post multas insanias
Tandem perdens divitias,
Forma nudatus hominis,
185 Pastum gustavit graminis.
Tu quoque ejus filius,
Non ipso minus impius,
Dum patris actus sequeris,
Vasis eisdem uteris;
190 Quod quia Deo displicet,

Instat tempus quo vindicet,
Nam scripturae indicium

Minatur jam supplicium.
Mane, dicit Dominus,
195 Est tui regni terminus.
Thechel libram significat

---

173. **confusio** — "disaster"
174. **pater** — The father of Balthasar was Nebuchadnezzar.
184. **nudatus** — "deprived of" (with ablative)
185. **pastum graminis** — Nebuchadnezzar became mad and fed on grass like an animal, according to the Book of Daniel.
191. **vindicet** — "there will be vengeance"
195–98. **Mane, Thechel** and **Phares** were the words written on the wall. See Daniel 5:25–8.
196. **libram** — "scale," "balance"

Quae te minorem indicat.
Phares, hoc est divisio,
200   Regnum transportat alio.

(Et Rex:)

Qui sic solvit latentia
Ornetur veste regia.

---

198. supply *esse*
200. **transportat** — "is transferred"

The Fourteenth and Fifteenth Centuries

The "calamitous" fourteenth century was the subject of Barbara Tuchman's 1978 best seller, *A Distant Mirror*. This was the century of the Black Death, the Avignon Papacy (1305–1378) the great Schism, the last important crusading effort of St. Louis IX of France (1378–1417), the Hundred Years War and the distinguished literary work of Dante, Boccaccio, Petrarch, and Chaucer, and the painting of Duccio, Giotto, and the Lorenzettis.

There was a revival of classical antiquity and the search for manuscripts of ancient works that had been neglected for centuries, either because they were "too pagan" or too difficult to read. Politically, Spain, France, and England were strengthened despite England's defeat on the mainland of Europe. At the same time, the Byzantine Empire had almost collapsed.

The beginning of the fifteenth century witnessed the Council of Constance which resolved the Schism, but burned Jan Hus, the heretic, at the stake. The Hundred Years War ended, helped by the short and rather extraordinary career of Joan of Arc. The Wars of the Roses took place in England. Spain freed itself from the Moors under the united rule of Ferdinand and Isabella. After the capture of Granada, Queen Isabella expelled the Jews and financed Columbus' voyages of exploration; Portugal encouraged the exploration of Africa and India; Constantinople was captured by the Turks in 1453. In Florence and the city states of Italy, painting and sclpture on classical models began to emerge. Masaccio, Donatello, and Brunelleschi were active in this century.

Gesta Romanorum

The *Gesta Romanorum* is a collection of stories collected in England in the fourteenth century. Though Roman emperors are the subject of many of these stories, they are not true narratives or historically accurate. Each story has a moral attached. What follows has nothing to do with Emperor Theodosius, who ruled from 379–395. The story, however, is that on which *King Lear* is based.

Theodosius in civitate Romana regnavit, prudens valde et potens, qui tres filias pulchras habebat, dixitque filiae seniori: "Quantum diligis me?" At illa: "Certe plus quam me ipsam." Ait ei pater: "Et te ad magnas divitias promovebo." Statim ipsam dedit uni regi
5   opulento et potenti in uxorem. Post haec venit ad secundam filiam et ait ei: "Quantum diligis me?" At illa: "Tantum sicut me ipsam." Imperator vero eam cuidam duci tradidit in uxorem. Et post haec venit ad tertiam filiam et ait ei: "Quantum me diligis?" At illa: Tantum sicut vales, et non plus neque minus." Ait ei pater:
10   "Ex quo ita est, non ita opulenter ero maritare sicut et sorores tuae"; tradidit eam cuidam comiti in uxorem. Accidit cito post haec quod imperator bellum contra regem Aegypti habebat. Rex vero imperatorem de imperio fugabat unde bonum refugii habere non poterat. Scripsit litteras anulo suo signatas ad primam filiam
15   suam, quae dixit quod patrem suum plus quam se ipsam dilexit, ut ei succurreret in sua necessitate eo quod de imperio expulsus erat. Filia, cum has litteras eius legisset, viro suo regi casum primo narrabat. Ait rex: "Bonum est ut succurramus ei in hac sua magna necessitate. Colligam exercitum et cum toto posse meo

---

2. **seniori** — "to the oldest"

5. **in uxorem** — "as a wife"

9. compare with Cordelia's reply, "according to my duty, not more, not less"

10. **ero maritare** — "I will marry"

16. **eo quod** — "because"

19. **cum toto posse** — "with all my power"

20 adiuvabo eum." Ait illa: "Istud non potest fieri sine magnis expensis. Sufficit quod ei concedatis, quamdiu est extra imperium
suum, quinque milites qui ei associentur." Et sic factum est. Filia
patri rescripsit quod alium auxilium ab ea habere non posset, nisi
quinque milites de sumptibus regis in societate sua. Imperator
25 cum hoc audisset contristatus est valde et infra se dicebat: "Heu
mihi, tota spes mea erat in seniore filia mea eo quod dixit quod
plus me dilexit quam se ipsam, et propter hoc ad magnam digni-
tatem ipsam promovi." Scripsit statim secundae filiae, quae dixit:
"Tantum te diligo quantum me ipsam," quod succurreret ei in
30 tanta necessitate. At illa, cum audisset, viro suo denuntiabat et
ipsi consiliavit ut nihil aliud ei concederet nisi victum et vestitum
quamdiu viveret honeste pro tali rege, et super hoc litteras patri
suo rescripsit. Imperator cum hoc audisset contristatus est valde
dicens: "Deceptus sum per duas filias. Iam temptabo tertiam quae
35 mihi dixit: 'Tantum te diligo quantum vales.'" Litteras scripsit ei
ut ei succurreret in tanta necessitate et quomodo sorores sua ei
respondebant. Tertia filia cum vidisset inopiam patris sui ad
virum suum dixit: "Domine mi reverende, mihi succurre in hac
necessitate. Iam pater meus expulsus est ab hereditate sua." Ait ei
40 vir eius: "Quid vis tu ut ei faciam?" At illa: "Exercitum colligas
et ad debellandum inimicum suum pergas cum eo." Ait comes:
"Voluntatem tuam adimplebo." Statim collegit magnum exercitum
et sumptibus suis propriis cum imperatore perrexit ad bellum.
Victoriam obtinuit et imperatorem in imperio suo posuit. Tunc ait
45 imperator: "Benedicta hora in qua genui filiam meam iuniorem.
Ipsam minus aliis filiabus dilexi et mihi in magna necessitate suc-
currit et aliae filiae meae defecerunt, propter quod totum imperium
relinquero post decesum meum filae meae iuniori," et sic factum
est. Post decessum patris filia iunior regnavit et in pace vitam
50 finivit.

---

20. **expensis** — "expenditure"
22. **associentur** — "accompany"
24. **sumptibus** — "expense"

Petrarch
(1304–1374)

Francesco Petrarca was born at Arezzo in exile from Florence. After studying at Bologna and Montpellier, he took minor orders and was associated with the papal court at Avignon. While there, he first saw "Laura" who inspired the *Canzoniere,* his Italian poems, which were very influential in the development of Italian poetry. He put the vernacular behind him to champion humanism and the study of the Latin classics, which had been neglected during the Christian centuries. His enthusiasm for classical learning and the search for lost works of antiquity was a critical factor in the Italian Renaissance. He discovered a manuscript of the Letters of Cicero to Atticus that disappointed him since Cicero, the man and the politician, was far less admirable than Cicero the philosopher and orator. The passage that follows is evidence of Petrarch's disappointment. The literary form or concept of an "imaginary letter" became popular in the Renaissance and afterwards. Most of Petrarch's later work was in Latin, including a lengthy and quite dull Latin epic, the *Africa.* Nonetheless, he believed his Latin work would assure his fame and was of greater significance than his work in Italian.

A.

Epistolas tuas, diu multumue perquisitas atque ubi minime rebar inventas, avidissime perlegi, audivi multa te dicentem, multa deplorantem, multa variantem. M. Tulli, et qui iam pridem qualis preceptor aliis fuisses noveram, nunc tandem quis tu tibi esses

5 agnovi. Unum hoc vicissim a vera caritate profectum non iam consilium sed lamentum audi, ubicunque es, quod unus posterorum, tui nominis amantissimus, non sine lacrimis fundit. "O inquiete semper atque anxie," vel ut verba tua recognoscas, "O preceps et

---

1. **ubi minime rebar** — "where I least expected"
3. **qui** — is in apposition to the subject of *noveram* (from *nosco*)
4. **quis** — is used in the sense of "what kind of" (advisor)
5. **profectum** — "proceeding"
7. **amantissimus** — "a great lover"
8–9. **O preceps...senex** — "prone to danger and destruction in your old age"; from a spurious letter to Octavian

calamitose senex," quid tibi tot contentionibus et prorsum nichil
10 profuturis simultatibus voluisti? Ubi et etati et professioni et fortune tue conveniens otium reliquisti? Quis te falsus glorie splendor
senem adolescentium bellis implicuit et per omnes iactatum casus
ad indignam philosopho mortem rapuit? Heu et fraterni consilii
immemor et tuorum tot salubrium preceptorum, ceu nocturnus
15 viator lumen in tenebris gestans, ostendisti secuturis callem, in
quo ipse satis miserabiliter lapsus es... Quis te furor in Antonium
impegit? Amor credo reipublice, quam funditus iam corruisse
fatebaris. Quodsi pura fides, si libertas te trahebat, quid tibi tam
familiare cum Augusto? Quid enim Bruto tuo responsurus es?
20 'Siquidem,' inquit, 'Octavius tibi placet, non dominum fugisse
sed amiciorem dominum quesisse videberis'...Doleo vicem
tuam, amice, et errorum pudet ac miseret, iamque cum eodem
Bruto 'his artibus nichil tribuo, quibus te instructissimum fuisse
scio.' Nimirum quid enim iuvat alios docere, quid ornatissimis
25 verbis semper de virtutibus loqui prodest, si te interim ipse non
audias? Ah quanto satius fuerat philosopho presertim in tranquillo
rure senuisse, de perpetua illa, ut ipse quodam scribis loco, non
de hac iam exigua vita cogitantem, nullos habuisse fasces, nullis
triumphis inhiasse, nullos inflasse tibi animum Catilinas. Sed hec
30 quidem frustra. Eternum vale, mi Cicero.

---

10. **ubi** — the sense here is "why?"

11. **Quis** here is used as an adjective modifying *falsus splendor.*

12. **per...casus** — "after driving you through every kind of misfortune"

13. **fraterni** refers to advice he gave to this brother.

15. **secuturis** — "for others to follow"

16. **in Antonium** — the Philippics, invectives he wrote against Mark Anthony, which were responsible for his assassination

17. **funditus** — "completely," "thoroughly"

18–19. **quid...familiare** — "Why were you so friendly?" Brutus was involved in the murder of Caesar because he believed it would restore the republic.

21. **amiciorem dominum quesisse** — "to have looked for a friendlier master"

21–22. **vicem tuam** — "on your behalf"

26. **quanto satius fuerat** — "How much better would it have been!"

29. **inhiasse** — "to have eagerly desired"

   nullus...Catilinas — "not to have become overly proud by your orations against Catiline"

30. **eternum vale** — Petrarch did not expect to see him in heaven, since Cicero was a pagan.

B. Ode to Vergil

Eloquii splendor, Latiae spes altera linguae,
Clare Maro, tanta quem felix Mantua prole
Romanum genuisse decus per saecula gaudet,
Quis te terrarum tractus, quotus arcet Averni
5   Circulus, an raucam cytharam tibi fuscus Apollo
Percutit, et nigrae contexunt verba sorores?
An pius Elysiam permulces carmine sylvam,
Tartareumque Helicona colis, pulcherrime vatum,
Et simul unanimus tecum spatiatur Homerus?
10   Solivagique canunt Phoebum per prata poetae,
Orpheus ac reliqui, nisi quos violenta relegat
Mors propria conscita manu, saevique ministri
Obsequio, qualis Lucanum in fata volentem
Impulit: arterias medico dedit ille cruento
15   Supplicii graviore metu mortisque pudendae:

---

1. **Eloqui splendor** — "O splendor of eloquence!"
2. **Maro** — Vergil
   Mantua — Vergil was born at Andes, near Mantua.
4. **Quis...tractus** — "what region of the earth, what circle of Hell!"
5. **fuscus Apollo** — a curious image ("dusky Apollo"), perhaps affected by the shades of Hell
6. **nigrae...sorores** — "the fates weave words (for you)"
8. **Tartareumque Helicona colis** — "Do you dwell in an infernal Helicon"
9. **spatiatur** — "take a walk"
10. **Solivagi** — "wandering," agrees with Orpheus and the rest of the poets
11. **nisi quos** — "except those whom"
12. **propria conscita manu** — "inflicted by their own hand"
13. **Obsequio** — "to obedience": refers to poets who were cruel in the exercise of their authority, like Nero
14. **arterias...dedit** — "he gave his arteries to the doctor": refers to Lucan's form of suicide. Lucan (39–65), who wrote an epic poem about the civil wars, sometimes called one Pharsalia, was forced to commit suicide by Nero, who was jealous of his poetic talent.
15. **graviore metu** — ablative of cause

Sic sua Lucretium mors abstulit ac ferus ardor
17 Longe aliis, ut fama, locis habitare coegit.

16–17. refers to Jerome's few and savage words against Lucretius which happens to
be the only biographical reference extant. Jerome suggested Lucretius (ca.
95–55) was intermittently insane and committed suicide.

17. **ut fama** — "as rumor has it"
Longe aliis...locis — "in strange places far away"

Giovanni Boccaccio
(1313–1375)

Boccaccio was one of the founders of Italian humanism and of the Renaissance. He was born near Florence, but not much is known of his early life. He was sent to Naples to learn business and law, which he rejected and became a writer and scholar. His most famous vernacular work, *The Decameron,* is a series of stories set in the backdrop of the 1348 plague that decimated much of Tuscany. He was greatly interested in antiquity and was the first of the Italian humanists to learn Greek. His work, *De Geneologia Deorum,* from which the selection is taken, is one of the important collections from which our knowledge of the Greek and Roman gods is taken. The passage discusses the nature of poetry.

Quid Sit Poesis Et Unde Dicta Et Quod Officium Est Eius

This is considered by some critics to be a significant chapter because it expresses Boccaccio's views on the nature of poetry.

Poesis est quam neglegentes abiciunt et ignari. Est fervor quidam exquisite inveniendi atque dicendi seu scribendi quod inveneris. Qui ex sinu Dei procedens paucis mentibus, ut arbitror, in creatione conceditur. Ex quo quoniam mirabilis sit, rarissimi semper fuere poetae. Huius enim fervoris sunt sublimes effectus, utputa mentem in desiderium dicendi compellere, peregrinas et inauditas inventiones excogitare, meditatas ordine certo componere, ornare compositum inusitato quodam verborum atque sententiarum

5

---

2. **invenire** is a technical term used in medieval poetry relating to creativity and connected with *De Inventione,* an early rhetorical work of Cicero.

3–4. **in creatione** — "at birth"

4. **rarissimi** — "the rarest of men"

5. **utputa** — "for example"

contextu, velamento fabuloso atque decenti veritatem contegere;
10 praeterea, si exquirat inventio, reges armare in bella, deducere
navalibus classes, copias emittere, caelum, terras, et aequora
describere, virgines sertis et floribus insignire, actus hominum
pro qualitatibus designare, irritare torpentes, desides animare,
temerarios retrahere, sontes vincire, et egregios meritis extollere
15 laudibus, et huiusmodi plura. Si quis autem ex his, quibus hic
infunditur fervor, haec minus plene fecerit, iudicio meo laudabilis
poeta non erit. Insuper quantumcumque urgeat animos, quibus
infusus est, perraro impulsus commendabile perficit aliquid, si
instrumenta, quibus meditata perfici consuevere, defecerint, utputa
20 grammaticae praecepta atque rhetoricae, quorum plena notitia
opportuna est. Esto nonnulli mirabiliter materno sermone iam
scripserint et per singula poesis officia peregerint; hinc et liberalium
aliarum artium et moralium atque naturalium saltem novisse prin-
cipia est necesse, necnon et vocabulorum valere copia, vidisse
25 monumenta maiorum ac etiam meminisse historias nationum et
regionum orbis, marium, fluviorum, et montium dispositiones.
Praeterea delectabilis naturae artificio solitudines opportunae
sunt, sic et tranquilitas animi et saecularis gloriae appetitus et
persaepe plurimum profuit aetatis ardor. Nam si deficiant haec,
30 nonnumquam circa excogitata torpescit ingenium.

---

9. **velamento fabuloso atque decenti** — "in a fitting covering of fiction"
13. **pro qualitatibus** — "in accordance with their nature"
20. **notitia** — "familiarity"
21. **esto** — "let it be that…"
    materno sermone — "in their mother tongue"
22. **per singula poesis officia** — "each and every duty of poetry"
24. **vocabulorum valere copia** — "to have a strong vocabulary"
27. **delectabilis naturae artificio** — "on the handiwork of delightful nature"
29. **aetatis ardor** — "ardent period of life," *i.e.* "hot youth"

𝔄eneas 𝔖ilvius 𝔓iccolomini
(1405–1464)

𝔄eneas Silvius Piccolomini (Pius II) was one of the most intriguing figures of the Renaissance: a noted humanist who led a thoroughly secular life until he was forty and wrote frank and interesting commentaries about his experiences. After reaching forty, he was ordained and thirteen years later became Pope Pius II. His humanism is reflected in his acceptance of the papacy, *"Aeneam rejicite, Pium suscipite."* As pope he was quite conservative, rejecting the conciliar movement and organizing the last crusade, which never left Italy. His "library" in the Duomo of Siena is decorated with scenes from his life, painted by Pintoricchio.

𝔉rom 𝔥istory of the 𝔠ouncil of 𝔅asle

A. PRAEFATIO

Nescio quae mea calamitas est quibusue urgeor fatis, ne me historiae furari sciam tempusque meum utilius consumere. Statui saepius ab iis me poetarum et oratorum lenociniis sequestrare et aliquod sequi exercitium, unde aliquid tandem figerem, quo esset
5 'mihi tuta senectus a tegete et baculo,' ne sicut aues feraeque in dies uiuerem. Nec deerant studia, quibus si forte versari uoluissem, et opes cogere et amicos parare potuissem. Idque non mea solum sponte mihi suadebam, sed accedebant etiam necessarii, quorum illae assiduae uoces erant: 'Quid agis tandem Aenea?

---

1. **Nescio quae mea calamitas** — "There is some misfortune of mine"
1–2. **ne me historiae furari sciam** — "that I do not know how to escape (steal away) from history"
3. **lenociniis** — "allurements"; from a far more suggestive word
5. **'mihi...baculo'** — from Juvenal's satires "an old age, free from the beggar's mat and cane"
5–6. **in dies** — "day to day"
6. **versari** — "become involved in"
8. **necessarii** — "kinsmen," "relatives"

10   Tene quamdiu ita poetica possidebit? Istuc aetatis non erubescis
nihil habere agri, nihil pecuniarum? An nescis quia vigesimo grandem, trigesimo cautum, quadragesimoque diuitem anno esse
oportet; qui has metas praeterierit, frustra conari?' Monebant igitur
ut uenientis et iam propediem instantis quadragesimi anni cogita-
15   tum haberem, priusque aliquid tenere curarem quam id aetatis
ingrederer. Dedi saepius manus facturumque me quod suasum erat
spopondi; abieci oratorios codices, abieci historias, omnesque
huiusmodi litteras ut meae salutis inimicas pepuli. At sicut auiculae
quaedam ignem candelae nequeunt dimittere, in eoque, priusquam
20   fugiant, aduruntur, sic ego ad meum malum et ubi mihi pereundum
est redeo; nec aliud mihi (ut uideo) hoc studium quam mors adimet.

B. LIBER PRIMUS

Apud Hetruscos plerisque in locis, quoniam flumina sic tenuia
sunt ut frumentariam molam nequeant rapere, ingentes ducunt
foveas, quibus fluviorum cursum morantur biduanasque aut triduanas colligunt aquas; quae postea impetuosius exeuntes et
5   molam trahunt et frumenti omnem quantitatem facile terunt.
Haud secus mihi uidentur patres huius Synodi facere, qui, tanquam nihil habeant aduersus Eugenium faciundum, diutius silent
materiam tacite colligentes, exin una in die uno quoque impetu

---

10. **istuc aetatis** — "at this period of your life"
11. **vigesimo** — "at twenty"
    grandem — "grown up"
14–15. **propediem...haberem** — "that I have concern for my fortieth year, which
    was rapidly approaching"
16. **dedi manus** — "I agreed"
19. **dimittere** — "stay away from"
20. **mihi pereundum est** — "I must be destroyed"

1. **Apud Hetruscos** — "In Tuscany"
2. **rapere** — "to turn"
3–4. **biduanasque triduanas** — "of two or three days"
4. **impetuosius** — "more violently"
6. **Synodi** — refers to the Council of Basle 1431–1437
7. **Eugenium** — Pope Eugenius IV (1431–1447)

rem perficiunt. Sed quorsum haec forsitan quaeritur? Nempe ne
10 quis me arguat negligentiae, qui plus solito plusque debito siluer-
im; nec enim scribere potui cum nihil fieret. Nunc uero cum res
actae sint et relatu et cognitione dignissimae, accusationem scriptis praeveniam; nec patiar me argui negligentiae, quamvis potero
nimiae forsitan audaciae reprehendi, qui rem arduam et grandem
15 stilo inopi et arido sim complexus. In qua re nec mihi postulabo
ignosci, qui sponte erro, et venustatem scio reprehensionis a M.
quodam Catone profectae in Aulum Albinum, qui cum Lucio
Lucullo consul fuit. Is Albinus res Romanas oratione Graeca
scriptitavit; in eius historiae primo scriptum erat ad hanc senten-
20 tiam, neminem succensere sibi convenire, si quid in illis libris
parum composite aut minus eleganter scriptum foret. "Nam sum,"
inquit, "homo Romanus, natus in Latio, et eloquium Graecum a
nobis alienissimum est"; ideoque ueniam gratiamque malae existimationis, si quid esset erratum, postulauit. Eaque cum legisset
25 M. Cato; "Nae tu," inquit, "Aule, nimium nugator es; cur maluisti
culpam deprecari, quam culpa carere"? Nam petere veniam sole-
mus aut cum imprudentes erravimus, aut cum noxam imperio
compellentis admisimus. "Te," inquit, "oro, quis pepulit ut id
committeres, quod priusquam faceres, peteres ut ignosceretur?"
30 "Quod ne mihi quoque possit accidere, sine petitione ueniae rem
aggrediar."

---

9. **quorsum...quaeritur** — "to what degree does anyone question these things?"
10. **solito** and **debito** — ablatives of comparison used as adjectives; "usual," "appropriate"
12. **relatu...dignissimae** — "most worthy of telling and knowing"
15. **stilo inopi et arido** — "in a poor and dry style"
16. **sponte** — "of my own free will"
17. **qui** — refers to Aulus Albinus
18. **res Romanas** — "Roman history." Nothing of his work survives.
19. **primo** — "preface," "beginning"
    ad hanc sententiam — "to this effect"
20. **convenire** — "accost," "bring him to task"
21. **parum composite** — "not well prepared," "inartistically"
    foret — imperfect subjunctive, "would be"
23–24. **malae existimationis** — "of criticism" (negative)
25. **Nae** — interjection (a vulgar form), "Really!"
29. **peteres ut ignosceretur** — "you wanted pardoned"
30–31. **rem aggrediar** — "I shall come to the point"

Jacopo Sannazaro
(1456–1530)

acopo Sannazaro was born in Naples and lived most of his life there except for his exile between 1501 and 1504. He was part of the academy of Giovanni Gioviano Pontano (1429–1503), who gave him the Latin name of Actius Syncerus. His Latin style is excellent and his major work, *"De Partu Virginis"* is a long hexameter epylion on the birth of Jesus. His *"Piscatorial Eclogues"* substituted fishermen for shepherds in pastoral poetry. This artificial genre developed by Sannazaro (in imitation of Vergil) influenced much sixteenth and seventeenth century poetry.

This is a segment of one of the Piscatorials. Many of the Grecized names are taken from Theocritus. Naples originally was a Greek foundation and the name (Neapolis) means "New City." The critic Scaliger considers this the best of the *Eclogues.*

A.

    Forte Lycon vacuo fessus consederat antro
    Piscator qua se scopuli de vertice lato
    Ostentat pelago pulcherrima Mergilline.
    Dumque alii notosque sinus piscosaque circum
5   Aequora collustrant flammis aut linea longe
    Retia captivosque trahunt ad litora pisces,
    Ipse per obscuram meditatur carmina noctem:
    "Immitis Galatea, nihil te munera tandem,
    Nil nostrae movere preces? verba irrita ventis

---

2. **qua** — "where"
3. **Mergilline** — a city on the Bay of Naples. Here it is the subject of the sentence and modified by *pulcherrima.*
4. **alii** — "others" (fishermen)
   notosque sinus circum — "familiar coves nearby"
5. **flammis** — "with their fires"
   longe — "far away"
7. **ipse** — refers to Lycon
8. **immitis** — "harsh," "unrelenting": vocative
8–9. **nihil** and **nil** are negatives and can be translated as "not at all"

10   Fudimus et vanas scopulis impegimus undas.
       Aspice, cuncta silent, orcas et maxima cete
       Somnus habet, tacitae recubant per litora phocae,
       Non Zephyri strepit aura, sopor suus umida mulcet
       Aequora, sopito conivent sidera caelo;
15   Solus ego (ei misero) dum tristi pectore questus
       Nocte itero, somnum tota de mente fugavi,
       Nec tamen ulla meae tangit te cura salutis.
       At non Praxinoe me quondam, non Polybotae
       Filia despexit, non divitis uxor Amyntae.
20   Quin etiam Aenaria (si quicquam credis) ab alta
       Saepe vocor; solet ipsa meas laudare Camenas
       In primis formosa Hyale cui sanguis Iberis
       Clarus avis, cui tot terrae, tot litora parent
       Quaeque vel in mediis Neptunum torreat undis.
25   Sed mihi quid prosunt haec omnia, si tibi tantum
       (Quis credat, Galatea?), tibi si denique tantum
       Displiceo? si to nostram crudelis avenam
       Sola fugis, sola et nostros contemnis amores?"

* * * *

---

10. **impegimus** — "we have dashed"
11. **cete** — a Greek form (accusative plural), "whales"
13. **suus** — refers to the Zephyr
14. **conivent** — "are winking"
15. **ei misero** — "alas for this miserable one," "woe is me"
16. **fugavi** — "I have put to flight"
18–19. **Praxinoe, Polybotae** and **Amnytae** are names from Theocritus.
20. **Aenaria** — the Island of Ischia
21. **Camenas** — "poems"
22. **Hyale** — this is thought to be Constance d'Avalos, a friend of Sannazaro who lived on Ischia
22–23. **cui...avis** — "whose blood is famous for Spanish ancestors"
24. **quaeque...Neptunum torreat** — "who might scorch Neptune" (make him hot)
26. **Quis credat** — "who would believe it?"
27. **avenam** — here it means "song," but it refers to the shepherd's pipe, as in Vergil, *Eclogue* I
28 ff. are a conclusion and description characteristic of the *Eclogues* of Vergil

Talia nequiquam surdas iactabat ad auras
30   infelix piscator et irrita vota fovebat;
    cum tandem extremo veniens effulsit ab ortu
    Lucifer et roseo perfudit lumine pontum.

B. Spring, Time to Rejoice

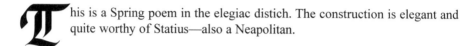

his is a Spring poem in the elegiac distich. The construction is elegant and quite worthy of Statius—also a Neapolitan.

Maius adest; da serta, puer: sic sancta vetustas
Instituit; prisci sic docuere patres.
Junge hederam violis; myrtum subtexe ligustris;
Alba verecundis lilia pinge rosis.
5   Fundat inexhaustos mihi decolor Indus odores;
Et fluat Assyrio sparsa liquore coma.
Grandia fumoso spument crystalla Lyaeo;
Et bibat in calices lapsa corona meos.
Post obitum non ulla mihi carchesia ponet
10   Aeacus. Infernis non viret uva jugis.
Heu vanum mortale genus, quid gaudia differs?
Falle diem: mediis mors venit atra jocis.

---

30. **irrita vota** — "his vows accomplishing nothing"

1. **da serta** — the custom of bringing garlands before a drinking bout
4. **verecundis** — "blushing"
    pinge — "paint," "color"
5. **decolor Indus** — the "swarthy Indus," an exotic allusion to the Indus River
7. **crystalla** — "cups"
    Lyaeo — "wine," metonomy or synechdoche
8. **corona lapsa** — "the crown (of flowers) which has fallen" (from his head)
9. **carchesium** — a Greek drinking cup
12. **falle** — "elude"

Erasmus
(1466–1536)

esiderius Erasmus of Rotterdam was the most renowned of the northern European humanists and chief exponent of the new learning. He was, like Luther, an Augustinian friar. A voice of moderation during the early days of the Reformation, he essentially did not take sides, trying to remain on good terms with both factions. The selection below is from his most famous work, *In Praise of Folly,* a satire on, among other things, monks and scholars. The satirical work *Julius Exclusus de Coelo* is also attributed to him. He completed a monumental revision of the Greek New Testament with a translation into classical Latin (as opposed to the Latin of Jerome). His letters and adages were influential and keep appearing in later works of vernacular literature including Shakespeare.

Folly Speaks

hese are the observations of the goddess Folly, who speaks in the first person. She notes how foolishness is inherent in the lives of all human beings and how she "owns" both the "great and small" (14). This poem is almost a parody of Horace's first *Ode,* which outlines the pursuits of men.

> Atque si cui videor haec audacius quam verius
> dicere, agedum paulisper ipsas hominum vitas
> inspiciamus, quo palam fiat et quantum mihi debeant
> et quanti me faciant maximi pariter ac minimi. At
> 5   non quorumlibet vitam recensebimus, nam id quidem
> perlongum, verum insignium tantum, unde reliquos
> facile sit aestimare. Quid enim attinet de vulgo

---

2. **agedum** — "well, then" "come on": an alternate form of the imperative of *agere*
4. **faciant** — "value"
5. **quorumlibet** — "of just anyone"
   recensebimus — "we will enumerate"
6. **perlongum** — "exceedingly long"
7. **Quid enim attinet** — "why waste time?"

plebeculaque commemorare, quae citra controversiam
tota mea est? Tot enim undique stultitiae formis
10   abundat, tot in dies novas comminiscitur, ut nec
mille Democriti ad tantos risus suffecerint;
quamquam illis ipsis Democritis rursum alio
Democrito foret opus. Quin etiam incredibile sit
dictu quos ludos, quas delitias, homunculi quotidie
15   praebeant superis. Nam hi quidem horas illas
sobrias, et antemerideanas iurgiosis
consultationibus, ac votis audiendis impartiunt.
Caeterum ubi iam nectare madent, neque lubet
quicquam serium agere, tum qua parte coelorum quam
20   maxime prominet, ibi consident ac pronis frontibus,
quid agitent homines speculantur. Nec est aliud
spectaculum illis suavius. Deum immortalem, quod
theatrum est illud, quam varius stultorum tumultus!
Nam ipsa nonnunquam in deorum poeticorum ordinibus
25   considere soleo. Hic deperit in mulierculam, et quo
minus adamatur, hoc amat impotentius. Ille dotem
ducit, non uxorem.... Alius zelotypus velut Argus
observat. Hic in luctu, papae! quam stulta dicit
facitque? Conductis etiam velut histrionibus qui

---

8. **plebicula** — "little people," "unimportant people"
10. **novas** — "new forms" (of stupidity)
11. **Democriti** — The philosopher Democritus was reputed to have laughed at all the
follies of mankind.
12–13. "although these Democritus' would even need another Democritus"
15. **superis** — "to the gods above"
16–17. **iurgiosis consultationibus** — "in settling disputes"
17. **impartiunt** — "divide," "spend"
18. **caeterum** — "the rest of the time"
19–20. **quam...prominet** — "which is most prominent"
22. **Deum immortalem** — accusative of exclamation: "My God!"
24. **ipsa** refers to the goddess Folly, in agreement with the subject of *soleo*.
27. **ducit** — "marries"
     zelotypus — "jealous"

30   luctus fabulam peragant. Ille flet ad novercae
      tumulum. Hic quicquid undecunque potest corradere,
      id totum ventriculo donat, paulo post fortiter
      esuriturus. Hic somno et otio nihil putat felicius.
      Sunt qui alienis obeundis negotiis sedulo
35   tumultuantur, sua negligunt. Est qui versuris,
      atque aere alieno divitem se esse putat, mox
      decocturus. Alius nihil arbitratur felicius, quam
      si ipse pauper haeredem locupletet. Hic ob exiguum,
      idque incertum lucellum, per omnia maria volitat,
40   undis ac ventis vitam committens, nulla pecunia
      reparabilem. Ille mavult bello divitias quaerere,
      quam tutum otium exigere domi. Sunt qui captandis
      orbis senibus putant quam commodissime ad opes
      pervenire. Neque desunt qui idem malint deamandis
45   beatis aniculis aucupari. Quorum utrique tum demum egregiam
      de se voluptatem Diis spectatoribus
      praebent, cum ab iis ipsis quos captant arte
      deluduntur. Est omnium stultissimum ac
      sordidissimum negotiatorum genus, quippe qui rem
50   omnium sordidissimam tractent, idque sordidissimis
      rationibus, qui cum passim mentiantur, peierent,
      furentur, fraudunt, imponant, tamen omnium primos
      sese faciunt, propterea quod digitos habeant auro
      revinctos. Nec desunt adulatores fraterculi, qui
55   mirentur istos, ac venerabiles palam appellent,
      nimirum, ut ad ipsos aliqua male partorum
      portiuncula redeat.

30–31. **flet...tumulum** — a Greek proverb, "weeps at the tomb of his stepmother,"
      which suggests a certain kind of folly
34. **alienis...negotiis** — "in minding other people's business"
35–36. **versuris...alieno** — "by borrowing (with) someone else's money"
42–44. deals with the practice of legacy hunting by marrying rich old men and women.
46. **Diis spectatoribus** — "to the spectator gods," "to the gods who are watching"
52. **imponant** — "deceive"
54. **adulatores fraterculi** — "sycophant friars"
57. **portiuncula** — "a small portion": this is also a reference to the first friary of
      Francis of Assisi at Portiuncula.

St. Thomas More (Sir)
(1478–1535)

This attractive and complex man, whose portrait by Holbein hangs in the Frick collection in New York, was the subject of the play and movie *A Man For All Seasons.* He was a politician, statesman, scholar, and humanist. A devout Catholic, he refused to support Henry VIII's divorce from Catherine of Aragon, for which he was beheaded. He, like the other Thomas (à Becket), was Chancellor of England. He was a well-known humanist and a friend of Erasmus, who dedicated his work *In Praise of Folly* (*Encomium Moriae*) to More. More's most famous work, *Utopia,* was written in Latin. He wrote other Latin works, including poetry, which were admired greatly in their time. He was canonized by the Roman church as a martyr.

I. From Utopia

Quid hii qui superfluas opes adservant, ut
nullo acervi usu sed sola contemplatione
delectentur; num veram percipiunt, an falsa potius
voluptate luduntur? Aut hi qui diverso vitio aurum
5   quo nunquam sint usuri, fortasse nec visuri
amplius, abscondunt, et solliciti ne perdant, perdunt.
Quid enim aliud est, usibus demptum tuis et omnium
fortasse mortalium telluri reddere? Et tu tamen
abstruso thesauro, velut animi iam securus,
10   laetitia gestis. Quem si quis furto abstulerit,
cuius tu ignarus furti decem post annis obieris,
toto illo decennio, quo subtracta pecunia

---

1. **Quid hii** — "What shall I say of those?"
   superfluas — "overflowing"
2. **acervi** — "of riches"
7. **demptum** — takes the ablative
10. **quem** — refers to *thesaurus*

superfuisti, quid tua retulit surreptum an salvum
fuisset? Utroque certe modo tantundem usus ad te
15   pervenit.
Ad has tam ineptas laetitias aleatores
(quorum insaniam auditu non usu cognovere)
venatores praeterea atque aucupes adiungunt.
"Nam quid habet," inquiunt, "voluptatis talos in alveum
20   proiicere, quod toties fecisti ut si quid voluptatis inesset, oriri
tamen potuisset ex
frequenti usu satietas? Aut quae suavitas esse
potest, ac non fastidium potius, in audiendo
latratu atque ululatu canum? Aut qui maior
25   voluptatis sensus est, cum leporem canis
insequitur, quam quum canis canem? Nempe idem
utrobique agitur; accurritur enim, si te cursus
oblectet. At si te caedis spes, laniatus
expectatio sub oculis peragendi retinet,
30   misericordiam potius movere debet, spectare lepusculum a cane,
imbecillum a validiore,
fugacem ac timidum a feroce, innoxium denique a
crudeli discerptum." Itaque Utopienses totum hoc
venandi exercitium, ut rem liberis indignam in
35   lanios (quam artem per servos obire eos supra

---

13. **superfuisti** — "You lived, survived"
   quid tua retulit — "What did it matter to you?"
18. **aucupes** — from *auceps*
   adiungunt — the subject is the Utopians
19. **quid voluptatis** — "what pleasure"
   in alveum — "onto a hollow gaming board"
26. **insequitur** — "chases"
27. **utrobique** — "in both cases"
   accurritur — "there is a race" (chase)
28. **laniatus** — "of tearing to pieces"
29. **peragendi** — gerundive, which goes with *caedis* and *laniatus*
33. **Utopienses** — "The Utopians"
34–36. **in lanios...reicerunt** — "they assign to butchers"
35. **obire** — "accomplish," "discharge"

diximus) reicerunt, infimam enim eius partem esse
37 venationem statuunt.

II. From His Poetry

De Somno, E Graeco. Sententia Aristotelis

> Ferme dimidium uitae dormitur. In illo
> Aequales spacio diues inopsque iacent.
> Ergo Croese tibi regum ditissime, uitae
> Ferme dimidio par erat Irus egens.

In Bibonem, E Graeco

> Serta, unguenta meo ne gratificare sepulchro.
> Vina, focus lapidi sumptus inanis erit.
> Haec mihi da uiuo. Cineres miscere falerno
> Nempe lutum facere est, non dare uina mihi.

36–37. **infimam…statuunt** — "They judge that hunting is the lowest portion of this" (butcher's trade)

1. **dormitur** — the impersonal: "is passed in sleep"
2. **spacio** — "in that time"
3. **tibi** — governed by *par*
   Croese — Croesus, King of Lydia, considered the richest man in the world
4. **Irus** — the beggar in the *Odyssey*

1. **ne gratificare** — "do not sacrifice," "pile" (as offering)
2. **focus lapidi** — a tombstone
3. **falerno** — "wine"

De Fusco Potore

Potando medicus perituros dixit ocellos
Fusco qui cum se consuluisset ait:
Perdere dulcius est potando quam ut mea servem
Erodenda pigris lumina uermiculis.

---

1. **ocellos** — "eyes"
4. **erodenda** — "to be gnawed"
   lumina — "eyes"

Ulrich von Ḣutten
(1488–1523)

Ulrich von Hutten was educated in a monastery, but turned against the Church. His writing was lively and humorous—often in a coarse way. *The Letters from Obscure Men,* written with other Humanists, was a parody on *Letters from Illustrious Men,* a polemic in the controversy involving John Reuchlin, the Humanist, and John Pfefferkorn, a Jewish convert.

This selection is from a satire generated by the controversy between John Reuchlin and John Pfefferkorn on the study of Hebrew. The letters depict absurd situations interlarded with observations on contemporary events. Crotus Rubeanus was also involved in the work.

from Epistolae Obscurorum Virorum

Cum, priusquam ambularem ad Curiam, dixistis mihi, quod saepe debeo vobis scribere et aliquando debeo dirigere aliquas quaestiones theologicales ad vos, tunc vultis mihi eas solvere melius quam curtisani Romae: ergo nunc quaero dominationem vestram,
5   quid tenetis de eo, quando unus in die Veneris, id est feria sexta, vel alias, quando est ieiunium, comedit ovum et est pullus intus; quia nuper in Campo Florae sedimus in uno hospitio et fecimus collationem, et comedimus ova, et ego aperiens ovum vidi, quod iuvenis pullus est in eo, et ostendi socio meo; tunc ipse dixit:
10   "Comedatis cito, antequam hospes videt, quia, quando videt, tunc

---

1. **Curiam** — the Roman Curia
4. **curtisani** — "members of the curia," a play on words; **dominationem** — a hyperbole: "your lordship"
5. **tenetis** — "you think"
   feria sexta — "the sixth day of the week": Friday, a day of abstinence from meat
7. **Campo Florae** — Campo dei Fiore, a gathering place in Rome for students
10. **comedatis** — subjunctive; translate it as if it were the imperative. The same applies to *solvatis* in line 15.

oportet ei dare unum Carlinum vel Iulium pro gallina," quia est
hic consuetudo, quod, quando hospes ponit aliquid ad tabulam,
tunc oportet solvere, quia non volunt recipere. Et si videt, quod
iuvenis gallina est in ovo, ipse dicit: "Solvatis mihi etiam galli-
15　nam," quia computat parvam sicut magnam. Et ego statim bibi
ovum, et simul illum pullum intus, et postea cogitavi, quod fuit
dies Veneris, et dixi socio meo: "Vos fecistis, quod feci peccatum
mortale comedendo carnes in feriis sextis." Et dixit ipse, quod
non est peccatum mortale, immo non est peccatum veniale, quia
20　ille pullaster non reputatur aliter quam ovum, donec est natus. Et
dixit mihi, quod est sicut de caseis, in quibus aliquando sunt vermes,
et in cerasis, et in pisis et fabis recentibus, sed tamen comeduntur
in sextis feriis et etiam in vigiliis Apostolorum. Hospites autem
ita sunt pultroni, quod dicunt, quod sunt carnes, ut habeant plus
25　pecuniam. Tunc ego abivi et cogitavi desuper. Et per Deum, ego
sum multum turbatus et nescio, quomodo debeo me regere. Si
vellem libenter consilium quaerere ab uno curtisano, tunc scio,
quod non habent bonas conscientias; videtur mihi, quod istae
iuvenes gallinae in ovis sunt carnes, quia materia est iam formata
30　et figurata in membra et corpus animalis, et habet animam
vitalem. Aliud est de vermibus in caseis, quia vermes reputantur
pro piscibus, sicut ego audivi ab uno medico, qui est valde bonus
physicus. Ergo rogo vos multum cordialiter, quatenus velitis mihi
respondere ad propositam quaestionem. Quia, si tenetis, quod est
35　peccatum mortale, tunc volo hic acquirere unam absolutionem,
antequam vado ad Alemaniam. Et sic commendo vos domino
Deo. Valete. Datum in urbe Roma.

---

11. **Carlinum vel Iulium** — relatively large coins, referring to the emperor's image
　stamped on them
13. **recipere** — "to take it back"
15. **parvam sicut magnam** — "a small one the same as a large one"
17–18. **quod feci peccatum mortale** — "that I committed a mortal sin"
20. **pullaster** — "a young chicken"
21. **quod est sicut de** — "which is just like"
25. Apostolic vigils: the days before feast days of Apostles were days of fast and
　abstinence from meat.
24. **pultroni** — "rogues," "poltroons"
32. **pro** — "as"

A Select List of Medieval Latin Words

ncluded here is a select list of words used in Medieval Latin, which either do not exist in classical Latin or which have changed their meaning drastically. Some cognates like *psalmus, martyr* and *trinitas* will be omitted.

Verbs are often used with the second or third meaning or to mean what has become the English cognate. Such meanings were unknown in classical Latin, *e.g. vilis, -e,* which means "cheap," or "of little value," means "vile" in some medieval texts.

abbas, abbatis	abbot
adjutorium	help
ambo, ambonis (m.)	lectern
angelus, -i	angel
antistes, antistitis	bishop
aula	hall, church
baptisma, baptismatis (n.)	baptism
benedicere	to bless
caelum or caeli	heaven
capitulum	chapter
caritas, caritatis (f.)	charity, love
cella	monastic cell
claustrum	cloister, monastery
clericus, -i (clerus)	cleric
comes, comitis (m.)	count
crimen, criminis (n.)	crime, guilt, sin
daemon	devil
decanus (diaconus)	deacon, dean
diabolus	devil
doctrina	doctrine, teaching
dominica	Sunday

dominus	lord — often used for God in the sense of the Hebrew "Adonai"
dux	duke
ecclesia	church
episcopus	bishop
eremus (heremus)	hermitage, monastery wilderness
evangelium	gospel
fateor (confiteor)	confess, praise
feria	weekday
festum	feast day
gentes	heathens, foreigners, "goyim" in the Hebrew sense
gratia	grace
haeresis (heresis)	heresy
hebdomas (ebdomas)	week
ieiunare	to fast
incarnatio	incarnation
iugiter	constantly
laicus	a layman
mandatum	commandment
missa	Mass
monacha, -us	nun, monk
numquid	why?
obsequium	ceremony
oratio	prayer
ordo	religious order
paenitentia	penance
papa	Pope
parasceve	Good Friday
pascha	Easter
peccatum	sin
per omnia saecula saeculorum	world without end
perpes, perpetis	perpetual, continuous
pietas	piety, holiness, pity
pontifex	bishop
praepositus	prior of a monastery
praedico	preach

praesul	protector, patron, bishop
presbyter	priest
prior	prior, the second in command in a monastery
psallare	to praise, sing
quadragesima	lent
redemptor	redeemer
redimo	redeem
reus	sinner, prisoner
sabbatum	Saturday, but sometimes Sunday
sacramentum	sacrament
saeculum	age, era, the world
salvator	savior
salus	salvation
salutare, -is	salvation
sanctus	holy, saint
spiritus	spirit, soul
testamentum	covenant, testament
ut quid	why?
utique	willingly
valde	very
vigilia	vigils, matins
virtus	virtue
virtutes	virtues — an order of angels; armies, hosts

Select Bibliography and Suggestions for Further Reading

The following works of varied provenance have been found useful. Those marked with an asterisk are suitable for students.

History
*Cantor, Norman, ed. *The Encyclopedia of the Middle Ages*. New York 1999.
Collins, Roger. *Early Medieval Europe 300–1000*. London 1991.
*Holmes, George, ed. *The Oxford Illustrated History of Medieval Europe*. Oxford 1988.
*McEvedy, Colin. *The New Penguin Atlas of Medieval History*. New York 2000.
McKitterick, Rosamond, ed. *The New Cambridge Medieval History*. 5 volumes out of 7 published.
Rogers, Randall. *Medieval Europe 1000–1250*. London 1995.

Texts, Criticism, and Literary History
Auerbach, E. *Literary Language and its Public in Late Latin Antiquity and in the Middle Ages*. New York 1965.
Beare, William. *Latin Verse and European Song*. London 1957.
Beeson, C. *A Primer of Medieval Latin*. Chicago 1925.
Colgrave, B., and R. A. B. Mynors, eds. *Bede's Ecclesiastical History*. Oxford 1969.
Curtius, E. R. *European Literature and the Latin Middle Ages*. New York 1953.
Dronke, P. *The Medieval Lyric*. 3rd edition. London 1996.
Fry, Timothy, O. S. B., ed. *RB 1980. The Rule of St. Benedict*. Collegeville, Minnesota 1980.

Godman, Peter. *Poetry of the Carolingian Renaissance*. Norman, Oklahoma 1985.

Harrington, K. P. *Medieval Latin*. Chicago 1925.

Harrison, F. E. *Millennium*. Oxford 1968.

Jackson, W. T. H. *The Literature of the Middle Ages*. New York 1960.

Laistner, M. L. W. *Thought and Letters in Western Europe, A.D. 500–900*. London 1931.

Nunn, H. P. V. *An Introduction to Ecclesiastical Latin*. Oxford 1922.

Raby, F. J. E. *A History of Christian Latin Poetry from the Beginnings to the Close of the Middle Ages*. Oxford 1953.

Raby, F. J. E. *A History of Secular Latin Poetry in the Middle Ages*. Oxford 1957.

*Rand, E. K. *Founders of the Middle Ages*. Cambridge 1928.

Sidwell, Keith. *Reading Medieval Latin*. Cambridge 1995.

*Waddell, Helen. *The Wandering Scholars*. 6th edition. Ann Arbor, Michigan 1990.

MEDIEVAL & RENAISSANCE LATIN READERS

CARMINA BURANA
Judith Lynn Sebesta

Carl Orff's selections of twenty-four "cantiones profanae" from the Middle Ages are explored in this illustrated, dual-language edition featuring the original Latin poems with facing translations and vocabulary, complete glossary, bibliography, and study materials. Also included is a literary translation by Jeffrey M. Duban. This new edition contains an additional seventeen original illustrations by Thom Kapheim.

Illus., 165 pp. (1937, Enhanced reprint 1996)
Paperback, ISBN 0-86516-268-9

BEDE'S HISTORIA ECCLESIASTICA
F. W. Garforth

This valuable supplement to second and third-year Latin studies offers a comprehensive collection in a volume that provides a vivid portrait of Bede. In addition to the original Latin text and English summaries, the book features an introduction, exhaustive notes, and illustrations.

Illus., xvi + 142 pp. (1967, Reprint 1988)
Paperback, ISBN 0-86516-218-2

ERASMUS AND HIS TIMES
G. S. Facer

These letters to and from Erasmus introduce students to a lively form of Latin and an exciting period of history. The book includes biographical material, notes, and vocabulary.

viii + 144 pp. (1951, Reprint 1988)
Paperback, ISBN 0-86516-213-1

MILLENNIUM
A Latin Reader, ad 374–1374
F. E. Harrison

This book explores the realm of Latin literature beyond the confines of the Classical period. It features selections from the Bible to the *Carmina Burana*, and authors from St. Augustine to William of Malmesbury. Notes, bibliography, and an introduction to each of the seven sections are also included.

xxx + 254 pp. (1968, Reprint 1991)
Paperback, ISBN 0-86516-191-7

SEE OUR ENTIRE CATALOG AT:
WWW.BOLCHAZY.COM

From Bolchazy-Carducci Publishers

Voyage to Maryland
Relatio Itineris in Marilandiam
Barbara Lawatsch-Boomgaarden with Jozef IJsewijn

This lively illustrated chronicle in a bilingual edition details the characters, settings and events of the 17th-century expedition resulting in the founding of the Maryland colony. It is a significant document in the classical tradition of the English colonies in North America.

Illus., vi + 113 pp. (1995)
Paperback, ISBN 0-86516-280-8
Hardbound, ISBN 0-86516-279-4

Early American Latin Verse
Leo M. Kaiser

During their first two centuries of colonial life, Americans produced a large and fascinating body of original Latin poetry. The fifty-seven poets included in this anthology represent the continuity and vitality of the classical tradition as a major educational and cultural force in the New World. The book includes an introduction by J. IJsewijn, Latin text, and notes.

xxiii + 298 pp. (1984)
Paperback, ISBN 0-86516-030-9
Hardbound, ISBN 0-86516-029-5

Jesuit Latin Poets
of the 17th and 18th Centuries
Selected and paraphrased by James J. Mertz
John P. Murphy, ed., with Jozef IJsewijn

This selection of sixty-two poems written by various Jesuit poets offers a unique and illuminating look at neo-Latin poetry. Includes original text, translations, notes, and vocabulary.

xvii + 229 pp. (1989)
Paperback, ISBN 0-86516-215-8
Hardbound, ISBN 0-86516-214-X

The Plays of Hrotswitha of Gandersheim
Larissa Bonfante and Alexandra Bonfante-Warren

Called by Renaissance humanist Conrad Celtes "the German Sappho," Hrotswitha (ca. 935–1000) was a prolific author who wrote eight legends in verse, two historical epics, and six plays in rhymed prose. This corrected reprint of the 1979 New York University Press edition contains translations of *Gallicanus, Dulcitius, Callimachus, Abraham, Paphnutius,* and *Sapientia.*

182 pp. (1979, Reprint 2000)
Paperback, ISBN 0-86516-178-X

Visit Us & Order Online at:
www.BOLCHAZY.com

COMPANIONS IN WISDOM

LATIN PROVERBS
Wisdom from Ancient to Modern Times
(a dual-language book of quotations)

1,188 Latin proverbs from over 100 various authors, ancient to contemporary, collected from Waldo E. Sweet's *Artes Latinae* series

A treasury of wisdom for every home library!

The quotations in this book are collected from Waldo E. Sweet's *Artes Latinae*, the revolutionary self-teaching Latin program.

iv + 277 pp. (2002) Paperback, ISBN: 0-86516-544-0

WORDS OF WISDOM FROM THE ANCIENTS
1000 Latin Proverbs
Waldo Sweet
(an interactive pedagogical CD-ROM)

Stand on the shoulders of giants in wisdom, eloquence, and literary finesse!

Latin Pronunciation ✦ Parsing ✦ Interactive Pronunciation

(2000) **CD-ROM**, ISBN 0-86516-502-5

Words of Wisdom from the Ancients is identical in content to *Latin Proverbs: Wisdom from Ancient to Modern Times* (For System Requirements, please visit our website)

BOLCHAZY-CARDUCCI PUBLISHERS, INC.
WWW.BOLCHAZY.COM
1000 Brown Street, Unit 101, Wauconda, IL 60084; *Phone:* 847/526-4344; *Fax:* 847/526-2867